CB040260

O DISCURSO
DA **ESTUPIDEZ**

Mauro Mendes Dias

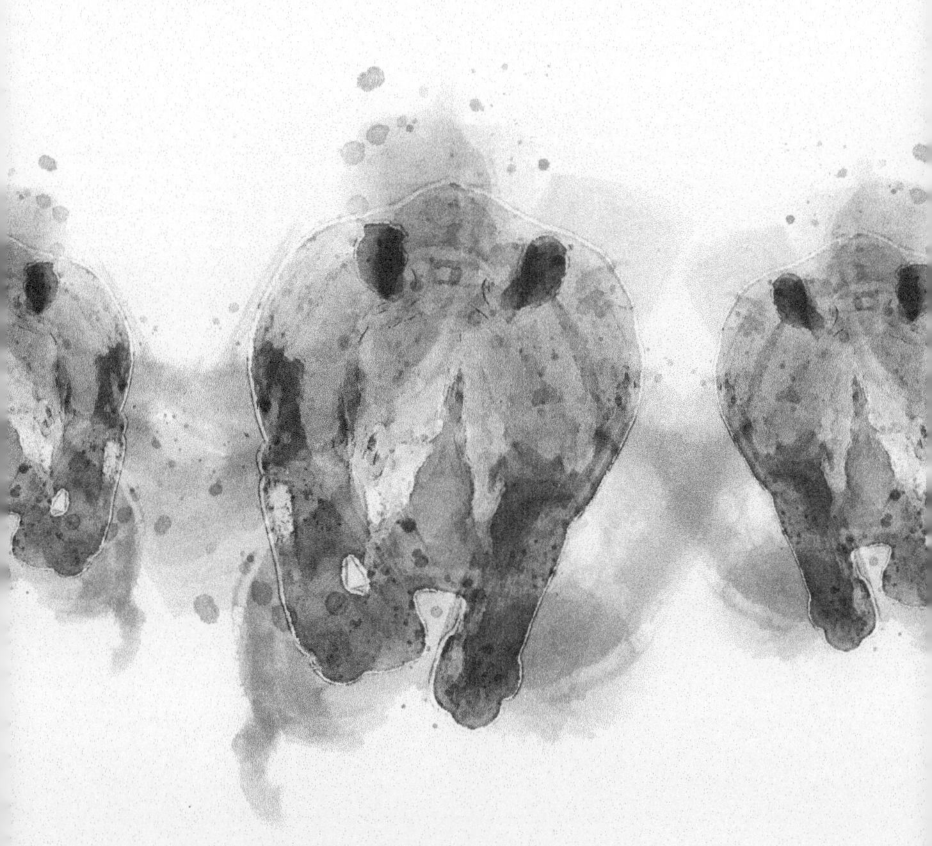

O DISCURSO DA ESTUPIDEZ

ILUMINURAS

Capa e projeto gráfico
Eder Cardoso / Iluminuras

Colofon
Desenho a caneta e tinta de rinoceronte por
Albrecht Dürer, 1515, cortesia Museu Britânico

Revisão
Lucy Petroucic
Monika Vibeskaia

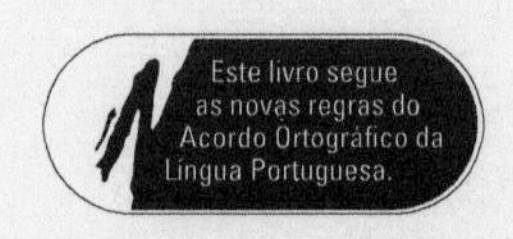

CIP-BRASIL. CATALOGAÇÃO NA PUBLICAÇÃO
SINDICATO NACIONAL DOS EDITORES DE LIVROS, RJ
D533d

Dias, Mauro Mendes, 1964-
O discurso da estupidez / Mauro Mendes Dias. - 1. ed. - São Paulo : Iluminuras, 2020.
96 p. ; 21 cm.

ISBN 978-6-55519-036-6

1. Psicanálise. I. Título.

20-64688 CDD: 150.195
CDU: 159.964.2

2020
EDITORA ILUMINURAS LTDA.
Rua Inácio Pereira da Rocha, 389 - 05432-011 - São Paulo - SP - Brasil
Tel./Fax: 55 11 3031-6161
iluminuras@iluminuras.com.br
www.iluminuras.com.br

SUMÁRIO

O DISCURSO DA **ESTUPIDEZ**

AGRADECIMENTOS, 11

APRESENTAÇÃO, 15

CAPÍTULO UM

AS **VOCIFERAÇÕES...**

VOCIFERAÇÕES E ÓDIO, 21

A FERA ANIMAL, 23

A FERA HUMANA, 24

AS VOCIFERAÇÕES E A VOZ, 24

VOZ, 25

DEUS, A VOZ E AS VOZES, 27

O ENCANTAMENTO DAS SEREIAS, 29

O PONTO SURDO E SEUS FRACASSOS, 34

O TERCEIRO FRACASSO DO PONTO SURDO, 37

O TERCEIRO FRACASSO E O SOLO DAS VOCIFERAÇÕES, 41

O SOLO E AS RAÍZES DAS VOCIFERAÇÕES, 43

AS VOCIFERAÇÕES E AS VOZES DA ESTUPIDEZ, 45

A ESTUPIDEZ COMO ENCANTAMENTO PARA AS VOCIFERAÇÕES, 49

AS VOCIFERAÇÕES NAS DEMOCRACIAS, 52

O CANTO DAS SEREIAS DOS MOVIMENTOS TOTALITÁRIOS, 55

A ESTUPIDEZ E SUAS LEIS FUNDAMENTAIS, 57

AS LEIS DA ESTUPIDEZ EM AÇÃO NAS VOCIFERAÇÕES, 60

OS RINOCERONTES E A ELEIÇÃO DA BARATA, 66

CAPÍTULO DOIS

... E SEUS **TRATAMENTOS POSSÍVEIS**

EM DIREÇÃO AO DISCURSO DA ESTUPIDEZ, 73

A PAIXÃO DA ESTUPIDEZ PELA IGNORÂNCIA, 74

O BARCO DA CRENÇA PARA A ESTUPIDEZ, 76

OS DISCURSOS E A ARTICULAÇÃO DA ESTUPIDEZ, 77

OS QUATRO DISCURSOS, 79

DO MESTRE AO CAPITALISTA, 81

O DISCURSO DO CAPITALISTA, 83

A ESCRITA DO DISCURSO DA ESTUPIDEZ, 84

A ESTUPIDEZ NO DISCURSO DO CAPITALISTA, 86

OS TRATAMENTOS POSSÍVEIS, 87

A ESTUPIDEZ NOS DISCURSOS, 89

O TRATAMENTO DA ESTUPIDEZ PELO ESTÚPIDO QUE VOCIFERA, 90

COM O ESTÚPIDO E OS RINOCERONTES, 92

"Não há nada mais caro na vida que a doença
— e a estupidez"[1]
Sigmund Freud

[1] Freud, S. [1913]. Sobre o início do tratamento. *Edição Standard Brasileira das Obras Completas de Sigmund Freud*, vol. XII, (J. Salomão, Trad.). Rio de Janeiro: Imago, 1969, p.148.

AGRADECIMENTOS

Aos membros e participantes do Instituto Vox de Pesquisa em Psicanálise, primeiros ouvintes, companheiros na transmissão.

Ao amigo e psicanalista Conrado Ramos que, além de parceiro de trabalho em diferentes momentos, foi o primeiro a reconhecer a mudança do vocábulo vociferação, para a condição de conceito, a partir do trabalho que venho articulando.

À Denise Maurano, amiga/irmã, que desde muito tempo atrás me encantou com o teatro, a música... levando-me ao encontro de Alain Didier-Weill, ao reencontro com Marco Antonio Coutinho Jorge, o qual me incluiu na rede de relações da *Insistance*, com Paolo Lollo, Cristiane Lollo, Jean-Michel Vivès, Jacques e Martina Sibony, e Jacques e Catherine Barbier e outros, assim como aos diferentes encontros com a Escola do Corpo Freudiano/Brasil.

Aos colegas do Instituto Vox, Cláudio Akimoto, Daniele Sanchez, Luiz Eduardo de Vasconcelos Moreira e Marta Marciano, que participam ativamente para o desdobramento de tese, projeto e pesquisa que se ligam às questões desse livro — cada um deles de forma própria.

Aos parceiros do *Instituto Vox* que colaboram e colaboraram para o avanço das questões apresentadas agora, em particular,

Alain Didier Weill, Christian Dunker, Miriam Debieux Rosa, Inês Catão, Ricardo Goldenberg, Paolo Lollo, Paulo Endo, Mario Sagayama, Equipe Ponte, Denise Maurano, Bety Fuks, Marco Antonio Coutinho Jorge, Mario Eduardo da Costa Pereira e Jean-Michel Vivès.

Ao psicanalista Philippe Julien, *in memoriam*, com quem me aventurei a sustentar a própria voz em outra língua, claudicante.

Ao psicanalista Benilton Bezerra, que me recebeu e acolhe para o avanço da experiência com o mar, o vento, o barco e a voz.

Para meu pai, *in memoriam*, que me conduziu desde muito cedo pelo gosto do estudo e leitura.

À minha mãe, irmã, meu irmão e familiares pelas acolhidas generosas nos reencontros no Rio de Janeiro.

À professora, pesquisadora e colaboradora Lucy Petroucic, presente com dedicação e rigor em todos os temas que pesquiso, tendo realizado a primeira revisão deste livro.

A cada um dos colegas que me convidaram, e me convidam a continuar expondo os temas aqui presentes: *Seção João Pessoa da Escola do Corpo Freudiano*, com a Ana Lúcia; *Seção Belém*, da mesma Escola, com Silvia Levy; *Centro de Estudos Freudianos*, de Recife, com Amélia Lyra e outros, bem como a todo o período de mais de uma década no *Núcleo de Direito e Psicanálise*, coordenado pelo amigo Jacinto Coutinho, o qual me apresentou ao Professor Maurício Dieter, com quem colaboro na Faculdade de Direito do Largo de São Francisco, São Paulo.

Ao editor e amigo Samuel Leon, que no meio do período da quarentena se dispôs a publicar este livro a toque de caixa, caso contrário não haveria tempo para leva-lá ao publico. O resultado reafirma o traço de seriedade e rigor que distinguem o trabalho da Editora Iluminuras.

Ao meu filho, Tiago Máximo Dias, pelo companheirismo e gosto da boa mesa compartilhada com projetos.

À minha mulher, Cristina Helena Guimarães, com quem conversei, sempre com música, sobre as diferentes ideias aqui presentes. Sem ela, nada disso teria sido possível, já que, na maior parte das vezes, elaboro enquanto falo numa conversação envolvente.

APRESENTAÇÃO

As ideias presentes neste livro vieram primeiramente a público numa apresentação que fiz no Instituto Vox de Pesquisa em Psicanálise, em 23/12/2016. Nessa mesma ocasião, disponível em vídeo, no site do Instituto Vox (www.voxinstituto.com.br), falei da entrada em cena das vociferações, como retirada da voz, tanto quanto da presença do ódio. Apresentei a necessidade de abordar as vociferações pelos seus fundamentos, na forma de um Projeto, ou seja, incluindo outros, que colaboraram gravando em vídeo, também disponível ao público numa série de livros que foram comentados, permitindo o acompanhamento das articulações.

Dentre as questões que foram apresentadas e despertaram interesse, uma foi a da crueldade. Um grupo de pesquisa foi formado e coordenado pela psicanalista Daniele Sanchez para elaborar essa questão. O trabalho culminou numa Jornada sobre a Crueldade, para a qual a psicanalista Vera Iaconelli foi convidada a comentar os textos.

Fiz este preâmbulo para contar de onde supostamente essa ideia veio, onde ela começou a ser falada. Mas a verdade é que ela é o efeito de alguns anos de seminários sobre a voz. E, nesse sentido, este livro traz a público, também, uma intimidade. Sou testemunha, mais uma vez, de que aquilo sobre o que escrevo é a revelação do que penso e/ou do que falo. É aquilo que fiz questão que fosse escrito — entendendo que esse fazer questão não é sinônimo de obrigação, tampouco de ímpeto. É algo que se impõe como insistência para bem dizer, para transmitir de forma inteligível. Pois bem, aqui neste livro me empenhei nessa direção.

Alguns leitores considerarão a leitura difícil; outros, que algumas ideias mereceriam maior clareza, ainda que passíveis de entendimento. Outros ainda, certamente, pensarão que um livro que aborda os temas a que se propõe deveria explicar melhor as ideias. Sem dúvida, cada um tem suas razões, suas leituras.

De minha parte, o que posso dizer é que estava a fim de falar de questões de uma forma que ligasse um conjunto de temas de forma diferente, a princípio, para mim mesmo. A coisa foi acontecendo. Quando me dei conta estava fazendo as ligações entre as questões, a partir de diferentes livros de meu interesse. Em nenhum momento me senti com a necessidade de explicar e fundamentar mais do que fiz. Seja falando de Psicanálise, de voz, de política, de discursos, enfim, de tudo que segue escrito.

Certamente muitas passagens podem ser avançadas, algumas já em andamento, outras, assim espero, pelo retorno do que escutar do que me for dito.

Falei do íntimo ligado a esse livro. Em minha experiência ele se deu conforme fui constatando e pensando sobre o que está à minha volta, no país onde vivo.

O primeiro título do livro havia sido o mesmo do Projeto, As vociferações e seus tratamentos possíveis. Enquanto escrevia fui me dando conta que as vociferações eram um efeito, e não uma causa, como havia pensado antes. Foi daí que surgiu a ideia que me levou a escrever o discurso da estupidez, responsável pelo agenciamento das vociferações.

No decorrer desse projeto, dei início a um desdobramento, o *Vociferarte*, iniciativa voltada para, em diálogos com os artistas, ir buscando articular recursos para o tratamento dos ódios nas vociferações. Tal iniciativa, em curso, coordenada pelos psicanalistas Daniele Sanchez e Luiz Eduardo de Vasconcelos Moreira, tem contribuído para a continuidade do trabalho.

Ao concluir este livro, mais uma vez uma experiência íntima se realizou, ao sentir que já não lembrava mais de grande parte do que havia escrito. Ele havia ido embora.

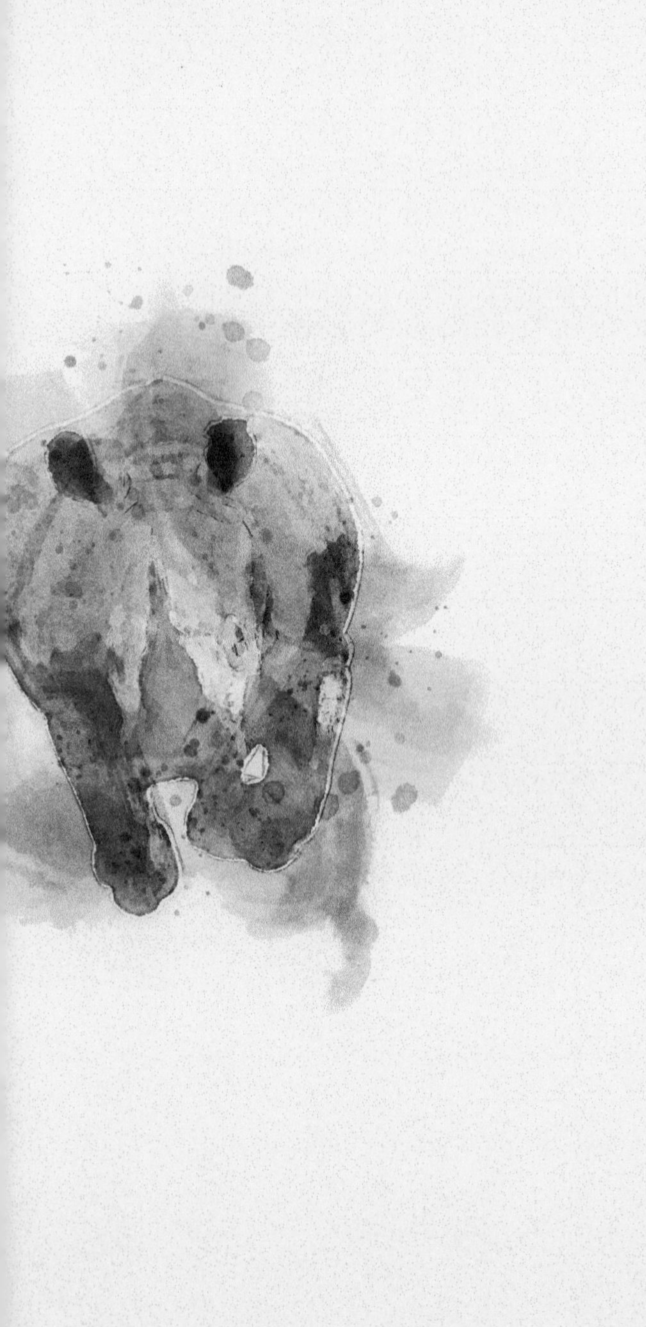

CAPÍTULO UM

AS **VOCIFERAÇÕES...**

Ó campos distantes! Miris`cris![1]
Cantando ou não cantando,
Não sei como nem quando,
Algo de humano acabou!

Pier Paolo Pasolini[2]

[1] Região da Itália

[2] Pasolini, P.P. Villota. In *Poemas*. (Mauricio S. Dias, Trad.). São Paulo: Cosac Naify, 2015, p.223.

VOCIFERAÇÕES E ÓDIO

As vociferações se fazem escutar à nossa volta e, muitas vezes, através de cada um de nós. Tanto os gritos quanto a cólera nelas presentes nos permitem reconhecer, com facilidade, o ódio orquestrando os afetos.

Algumas diferenças se mantêm entre vociferar e falar. Isso porque, em princípio, falar e gritar não são sinônimos. Mesmo que o grito possa comparecer durante a fala, as vociferações se referem aos gritos marcados pelo ódio, cujo fundamento é a recusa da possibilidade do diálogo, impedindo escutar aquele a quem se dirigem as palavras. Sendo assim, a potência do ódio não pode ser reduzida em virtude de não contar com uma palavra diferenciadora.

A emissão do grito com ódio portado pela condição de recusa é a posta em ato da voz da fera, como fera humana. Uma vez que a fera humana, pelas vociferações, não fala, ela, no entanto, não deixa de ter voz. Nesse caso, a voz se explicita ao sustentar a relação entre as palavras que, nessas condições, se transformam em imperativos. Mesmo que nas vociferações existam palavras, elas não cumprem mais as leis da fala que, como metáfora e metonímia, permitem o acesso ao sentido, pela substituição e pelo deslocamento do que é dito.

Antes ainda das palavras perderem a condição de transformar o sentido, antes de se constituírem como sinônimas de imperativo, elas passam a ser usadas de uma forma em que se perde o encanto de escutá-las.

E assim acontece porque a recusa das leis da fala é promovida pela ação de um discurso, o das vociferações, que se estrutura pelo empobrecimento da língua, fazendo dela um uso abusivo, portanto repetitivo e sem sabor, repleta de slogans vazios. É o que nos testemunha Victor Klemperer, de dentro da transformação que via acontecer à sua volta na ascensão do nazismo:

> O nazismo se embrenhou na carne e no sangue das massas por meio de palavras, expressões e frases que foram impostas pela repetição, milhares de vezes, e foram aceitas inconsciente e mecanicamente (...). (...) palavras podem ser como minúsculas doses de arsênico: são engolidas de maneira despercebida e aparentam ser inofensivas; passado um tempo, o efeito do veneno se faz notar[3].

E ainda, segundo Jacques Sémelin, em seu clássico dedicado aos genocídios, "a acusação de impureza constitui uma incriminação universal contra quem se pretende massacrar. A pureza, de imediato, remete a uma exigência de limpeza contra um outro, catalogado como 'sujo', percebido como lixo"[4].

Não é preciso restringir a vigência das vociferações às experiências do nazismo e dos momentos que precedem os genocídios. Importa reconhecer que as condições de fascinação para as vociferações fazem parte da constituição humana. Isso significa que, para abordar as vociferações, no sentido de visar seus

[3] Klemperer, V. *A linguagem do terceiro Reich.* (M. B. P. Oelsner, Trad.). Rio de Janeiro: Editora Contraponto, 2009, p.11.

[4] Sémelin, J. *Purificar e destruir.* (J. Bastos, Trad.). São Paulo: Editora Difel, 2009, p.62.

tratamentos possíveis não basta combatermos os discursos, sistemas ou ideologias que mais amplamente as promovem: será necessário ainda esclarecer o que nos cativa para consentir à redução da fala em voz da fera humana.

A FERA ANIMAL

É curioso notar que, no mundo animal, tendemos a identificar o sentido da fera nas espécies de grande porte — condição inteiramente dispensável quando se trata do mundo humano. A ponto de, nesse caso, serem os de menor porte afetivos, respeitosos e de experiência ética com o desejo, os que se entregam de forma incondicional às bestialidades.

Por ser constituída por instinto, a fera animal ataca e violenta os da mesma espécie, segundo condições que acionam reações típicas, quais sejam, de acasalamento, invasão de território e privação de alimento. Nem todas as reações se encontram codificadas pelo instinto; no entanto, suas variações são limitadas a um espectro de mudanças, as quais irão depender da interação com fenômenos de mudança da natureza à sua volta.

A fera animal não vocifera: emite gritos, zurros, uivos, rugidos. Cada uma dessas manifestações sonoras pode vir acompanhada do que chamamos de sentimentos, mas a fera animal não fala e não tem voz, no sentido dos seres humanos, estruturados por linguagem. Devido a essa condição de estruturação, o ser humano só sobrevive se conseguir contar com um Outro, o qual, decodificando o sentido de seus apelos, vai permitir que se estabeleça um percurso na direção da conquista da fala, e do pertencimento às relações familiares e sociais.

A FERA HUMANA

Desde tempos muito remotos os seres humanos criaram formas de representação da fera presente na espécie. Seja através dos estados de possessão por espíritos animais, no caso do lobisomem, seja por via de uma tradição literária que mostrou de forma emblemática, por exemplo, com Dr. Jekyll e Sr. Hyde, uma forma de contar do humano, retratando a presença da fera. A estruturação pela linguagem impossibilita que o animal se mantenha presente na espécie humana, razão pela qual ele chega a nós pela ficção. Mas o fato de a espécie animal se manter impossibilitada de participar da constituição da espécie humana não nos impede de reconhecermos a presença da fera no humano, como sinônima de posição subjetiva que praticamente recusa os efeitos da humanização a partir da fala, enquanto laço com o Outro pela diferença sexual.

AS VOCIFERAÇÕES E A VOZ

Desde os avanços levados adiante nas últimas décadas pela Psicanálise, principalmente por via das contribuições de Jacques Lacan sobre a estruturação humana, é que podemos situar, com precisão, o lugar e a função da voz. Para tanto precisaremos reconhecer uma diferença significativa existente entre a concepção habitual da voz, sinônima de conjunto dos sons produzidos pelas cordas vocais, e aquela que, desde Freud, participa da vida íntima, como voz da consciência, a partir da qual não é mais identificada pela sonoridade, como fonte vinda do exterior do sujeito. Há tanto uma voz que se faz escutar como voz de consciência, quanto uma Outra voz ainda mais íntima que é a voz do supereu, do imperativo "faça".

O que é sempre admirável na elaboração freudiana do supereu é que ela não se mostra apenas como exigência, obrigação, mas também suscita, pela possibilidade da suspensão da proibição, a cativação do gozo sem interdito.

Em se tratando das vociferações, elas são a colocação em exercício do duplo comando do supereu. São imperativas e exigentes a ponto de promoverem a suspensão e a introdução das proibições para todo e qualquer tipo de limitação dos próprios interesses.

As vociferações engendram as justificativas que as legitimam. As ações que acompanham as vociferações baseiam-se num tipo de consentimento gerado pela transformação da vontade em Lei. A palavra é, ao mesmo tempo, lei e comando. Tal como havia assinalado Giorgio Agamben, esse havia sido o binômio da "presença da palavra do Führer na biopolítica do povo alemão"[5], fazendo da palavra, lei de comando. Devido a tal condição, para o autor, instala-se o consentimento à matabilidade como tanatopolítica. Assim, ela é responsável pelo comando das leis da morte e pelo consentimento à matabilidade de nossa humanidade.

VOZ

Uma vez que se pode reconhecer que o ser humano é capaz de se empenhar para obter satisfação pelas vociferações,

[5] Agamben, G. *Homo sacer: O poder soberano e a vida nua.* (H. Burigo, Trad.). Belo Horizonte: Editora UFMG, 2002, p.190.

como podemos situar a presença da voz em relação a elas, às vociferações? Para tanto será preciso mostrar que a condição vociferante nos é íntima.

Ela, a vociferação, pode ser esvaziada, em direção à voz, através da entrada em cena do sujeito. Não mais o indivíduo, entidade anônima e que não se divide. Incluir o sujeito tal como a Psicanálise realiza em sua prática e teorização implica em divisão — divisão esta presente com sentido e causa a serem situados, a partir da condição desejante que acompanha a ela, divisão. O ser de desejo é um ser dividido pela linguagem que o constitui. Linguagem que é condição do inconsciente e, por isso mesmo, o ser falante não tem como desvendar a própria origem, a não ser miticamente.

O ser falante, por ser um ser de linguagem, é humano. É isso que o diferencia entre as espécies. Sendo assim, ser humano é ser de escolha e decisão: seu destino não está traçado, a não ser quando escolhe repetir o lugar em que foi colocado na história que o constituiu. Em resumo, trata-se de repetição e reinvenção. Não há uma sem a Outra.

A constituição pela linguagem coloca em evidência a voz. Seja como fator de ligação entre o "ser vivo e a linguagem"[6], seja como outro nome do desejo do Outro, ao qual o sujeito se encontra assujeitado como objeto na sua estruturação. Não é porque existe alienação fundamental aos significantes do Outro e ao desejo, enquanto agente materno, que o sujeito haverá de permanecer indefinidamente sem separação. Ao contrário, é na medida em que se desloca, separando-se da condição de assujeitamento que lhe foi constitutiva, que o sujeito pode avançar,

[6] Agamben, G. Vocação e Voz. In *A potência do pensamento: Ensaios e conferências.* (A. Guerreiro, Trad.) Belo Horizonte: Editora Autêntica, 2015, p.77.

tanto pelo sentido diferenciado que ele introduz no discurso do Outro, quanto pela queda que consente que aconteça a partir do momento em que decide substituir ser amado, por ser desejante. A voz é o que atualiza a presença diferenciada do sujeito no campo do discurso, tanto quanto a condição de o desejo ser causado por um objeto que relance a aposta de procura e perda.

DEUS, A VOZ E AS VOZES

Ao incluir a voz como elemento decisivo na estruturação do ser falante, consideremos que cada um de nós é falado antes de nascer. Teremos sido falados pelos pensamentos silenciosos da mãe, tanto quanto por aqueles que falam nela, sem que ela mesma saiba. Nesse sentido, o tema da voz é o vetor que orienta na direção do que vem antes, do que ainda não tem palavra. A tradição judaica nos ensina que nela, Deus é sopro, som, primeiramente, e não palavra. A revelação de Deus, nessa tradição, é um fenômeno acústico. "O Eterno nos falou do fogo. Vós ouvistes uma voz de palavras, nas formas, figuras d'Ele não as vistes, exceto a voz"[7].

Se um dos ensinamentos que o texto religioso nos traz é que o "Eterno fala, com uma voz de palavras"[8], que foi vista em formas e figuras, isso significa que o homem se abre ao Eterno, a Deus, ao se abrir à voz, porque é assim que ele, o Eterno, se manifesta, falando, fazendo-se ouvir, transmitindo a abertura para escutar o que vem do Outro.

[7] Ibid, p.76.
[8] Ibid, p.76

No caso dos seres humanos, estes haverão de se abrir a Deus pela voz e pelas palavras. Essa abertura foi nomeada por Heidegger como "o próprio lugar da abertura de mundo, o próprio lugar do ser."[9] Sendo assim, o "estado de espírito" é o lugar de abertura ao mundo pela voz e pelas palavras — entendendo que o que se coloca em jogo nas palavras não é o sentido, e na voz não é o som. Há uma proximidade semântica de estado de espírito com a esfera acústica musical. Portanto, o que se encontra em jogo na abertura à voz do Eterno é um estado de espírito que possa fazer comparecer o encantamento da palavra, dirigido à criança pela musicalidade da voz materna.

É a mãe, através da musicalidade da voz de suas palavras, de seu canto, de sua sonoridade, que vai permitir que haja invocação pela criança, de maneira a constituir uma relação onde seus gritos e demandas possam ser reconhecidos. A partir de então, a vocação da voz será a de fazer ligação permitindo a comemoração do advento do sujeito na fala, dividido pela linguagem.

É impossível considerar que o que acaba de ser descrito se desenvolve de forma harmoniosa. Ao contrário, os fracassos e os acidentes são a norma. Tanto é assim que existem sujeitos que não obterão condições de se valerem da palavra, com voz própria, ou seja, ressignificando o que é transmitido pelo Outro. Estes se manterão colados com o Outro, que são invadidos através de vozes alucinatórias dirigidas a eles, falando deles, encerrando-os num lugar ensurdecedor. Ou ainda, como acontece com alguns outros, encerrando-os em seu próprio mundo, assim reduzindo quase ao ponto zero a invocação do Outro.

[9] Heidegger, M. Construir, habitar, pensar. (E. C. Leão, G. Fogel, M. S. C. Shuback, Trad.). In: *Ensaios e Conferências*. Petrópolis: Vozes, 2002, p. 140.

Aproximando-nos dos sujeitos que vivenciam a experiência das vozes alucinatórias podemos apreender ao menos três consequências. De saída, constatamos que a presença das vozes sobre a existência de cada um deles praticamente os definem — a tal ponto que são elas que ocupam lugar de importância quando são abordados para falarem de si mesmos. Eles se contam através delas.

Por outro lado, mesmo que cada um possa reconhecer que as vozes escutadas vêm de dentro da própria cabeça, é como se elas adquirissem vida autônoma, e assim reconquistassem exterioridade. Tal exterioridade íntima é causada por uma condição de não separação, levando cada um a experimentar uma colagem, enquanto efeito de sonorização dos próprios pensamentos, tanto quanto da língua e do desejo do Outro que os constituíram.

A experiência de tais efeitos nos ensina que as vozes escutadas nas alucinações não somente têm caráter invasivo, mas também praticamente destroem a apetência para falar. Quanto mais são conduzidos pelas vozes, mais e mais se aproximam da destruição de si mesmos como apetentes do dizer.

De forma a procurar entender como tal experiência se estrutura, para além do campo da psicopatologia, lembremos que na tradição literária da Odisseia, em Homero, ao contar o episódio do encontro de Ulisses com as sereias, somos lembrados que o herói tapa os ouvidos de seus companheiros com cera, mas não tapa os próprios ouvidos, e faz-se amarrar ao mastro do barco, de forma a que pudesse escutar seu canto mortal. Uma primeira interrogação se produz, desdobrando-se numa outra:

1ª. Por que Ulisses fez questão de escutar o canto mortal das sereias?

2ª. O que constitui o caráter mortal do canto das sereias?

Somos informados, pela mitologia, que as sereias atraem as embarcações dos marinheiros que passam ao seu redor, com o objetivo de devorar os corpos daqueles que se chocam com os rochedos onde habitam. Isso nos permite depreender que sereias são seres criados de forma a dar corpo ao medo dos homens em relação à tormenta dos mares e dos ventos, que constituem os desafios da navegação. Mesmo que existam versões que incluam asas, elas estão ligadas, pela tradição, ao canto e à música. Como mulheres-pássaros causavam naufrágios ao distrair marinheiros com sua voz.

A existência das sereias nos ensina que a voz pode conduzir o sujeito para sua própria destruição. É essa voz bruta do Outro que cada um de nós precisou perder para se constituir como sujeito. Portanto, cada um precisou colocar cera no ouvido para continuar o caminho que tinha se encantado em realizar. Quando não há possibilidade de colocar cera nos ouvidos e o sujeito se deixa tomar pelo canto das sereias, isso significa o quê? Constitui aquilo que cada um de nós precisa perder, ensurdecendo-se, deixando para fora a possibilidade de ser tomado por inteiro pela voz do Outro.

Qual é a operação, possível de ser articulada, de modo a situar o que significa a cera a ser colocada nos ouvidos, e ainda, o gesto de consentimento para colocá-la e retirá-la dos ouvidos?

A cera é mais do que uma massa informe. Ela é, em primeiro lugar, o que barra a escuta. Ela barra a escuta do quê? Da voz como sinônima de som contínuo, sonorizado pela vocalidade das modulações das vogais. A voz como som contínuo é mortífera porque é a posta em ato da ausência da diferença que as consoantes promovem quando ligadas. Portanto, a cera é o que barra não haver diferença.

Mas nem sempre a cera se mantém nos ouvidos. Há aqueles que, como Ulisses, querem escutar o canto das sereias amarrando-se para não ser levado por elas. Há também aqueles que decidem retirar a cera dos ouvidos e se jogar no mar, encantados pelo canto da morte.

Se Ulisses fez tanta questão de escutar as sereias, é porque ele representa essa possibilidade de se encantar ao ser levado pela voz do Outro, com limite, daí o sentido de pedir para ser amarrado ao mastro. Se o canto como o das sereias pode conduzir o sujeito por inteiro, a ponto de fazê-lo naufragar, isso significa que a cativação que acompanha essa voz é a de experimentar perder por inteiro qualquer princípio de limitação.

O total ultrapassamento das limitações é encontrado no corpo das sereias, seres do mar que cantam, seres do ar que cantam e dançam. Não por acaso são seres femininos, já que pela mitologia, são seres que expressam e que zelam pelo espírito da Natureza. Seres femininos, esses que foram criados para dar voz ao espirito da Mãe, como Mãe Natureza.

Em dois importantes artigos[10], o psicanalista Jean-Michel Vivès introduziu de forma rigorosa o conceito de ponto surdo no avanço dos estudos da voz. Não somente sustentou tal contribuição na relação com o ponto cego, abordado por Freud, em relação à pulsão escópica. Definiu esta última não pela visão, mas sim pela fixação do olhar num ponto cego onde é

[10] Vivés, J.M. *O silêncio das sereias de Kafka: uma aproximação literária da voz como objeto pulsional.* (R. Dutra, Trad.) in A voz na clínica psicanalítica. Rio de Janeiro: Editora Contra Capa, 2012.

suposto de ser visto o falo materno. Isso introduz, pela tradição freudiana, uma divisão entre olho e olhar, sendo o olhar a erogeneização do ver. Assim, a percepção da realidade se encontra estruturada por uma Outra cena, a qual sustenta a presença do desejo de quem vê.

A invenção do ponto surdo tem estreita relação com o ponto cego freudiano, porque o elemento comum aos dois é, em primeiro lugar, a presença do sujeito dividido. No caso da pulsão escópica, dividindo-o entre olho e olhar. Em se tratando do ponto surdo conta-se com um sujeito que não é somente falado e conduzido pela voz do Outro, tal como as sereias ilustram. Se ele pode se ensurdecer a elas, colocando cera nos ouvidos, é porque há um desejo que o move, o de se fazer escutar barrando a possibilidade de ser silenciado por um Outro. Para tanto, o sujeito terá se dirigido ao Outro, criando com ele um circuito de invocação em três tempos, a partir de seu nascimento — entendendo aí que são tempos separados cronologicamente, apenas a título de melhor apreensão, já que, na verdade, é uma temporalidade sincrônica.

O infans emite seu primeiro grito, chamado de puro, uma vez que corresponde à expulsão do estado anterior em que se encontrava. Por se tratar de uma temporalidade sincrônica, ao mesmo tempo em que se desenlaça da condição anterior, seu grito é escutado pelo Outro que se enlaça com ele, transformando o grito puro, em grito para. Assim, a continuidade dos gritos e dos apelos passa a contar com um Outro implicado nele, a quem o sujeito se faz escutar, uma vez que dependerá dele para sobreviver e avançar.

Na espécie estruturada por linguagem, não é somente a título de apelo e satisfação das necessidades que o circuito com o Outro se estabelece. Mais além há, por parte do sujeito, uma insistência em se colocar num lugar, e de uma maneira que supostamente lhe garanta o atendimento de suas demandas, que se definem como tais na medida em que seu fundamento é de ser amado, ou seja, reconhecido na totalidade do seu ser.

Projeto de saída impossível, já que o Outro, por ser portador de desejo, comparece, ele também, marcado pela limitação, outro nome de sua castração. Tal condição não é suficiente para abalar de forma definitiva a crença que o sujeito cria, desde os seus primeiros momentos de estruturação, de poder ser satisfeito de forma integral. Para tanto, ele se manterá levado por uma suposição de que, sabendo o que o Outro deseja, poderá se manter numa posição de correspondência às expectativas dele, para, enfim, ser reconhecido, amado e admirado.

Notemos que, desde o nascimento, o infans precisa perder uma parte de si mesmo para se ligar ao Outro. Primeiramente, há a perda do estado anterior ao nascimento realizada pelo grito puro. Este, por sua vez, é condição de passagem para o grito para o Outro que se enlaça com o sujeito desde suas primeiras manifestações. Assim, ele integrará a perda como condição de sua existência. Mesmo se mantendo na tentativa de correspondência à suposição do que o Outro deseja, essa certeza se encontra impossibilitada a ele, pelo efeito da diferença do Outro, ou, melhor dizendo, pelo desejo do Outro remetê-lo a um terceiro, além da criança.

O PONTO SURDO E SEUS FRACASSOS

Como já indicado aqui anteriormente, não há instalação de circuito entre o sujeito e o Outro sem falhas, sem interrupções. Por isso mesmo, deve-se entender a instalação do ponto surdo enquanto uma condição que o ser falante conquista, a partir do ingresso na linguagem, de maneira a fazer comparecer sua própria voz. Entendendo, segundo o tópico anterior, que aquilo que nomeamos como própria voz é o efeito de uma operação de substituição realizado junto à voz/desejo do Outro que constituiu o sujeito. Segundo o autor do conceito: "Escolhi chamar essa noção de ponto surdo, que corresponderia ao lugar onde o sujeito, ao advir como falasser (*parlêtre*) ensurdeceu-se ao timbre da voz do Outro, a fim de ressoar a própria voz"[11].

Quando indico a existência dos fracassos que acompanham a instalação do ponto surdo, refiro-me a três condições: na primeira, o sujeito realiza o grito puro, mas a incidência do grito para, ou seja, o ingresso no circuito com o consentimento ao Outro não chega a constituir uma condição de insistência para se fazer escutar, tampouco de ouvir o que vem dele. Devido à ligação entre as pulsões escópica e invocante, o circuito do olhar será marcado pela limitação em se fazer olhar, tanto quanto de entrar em contato com o olhar do Outro.

Sem considerar maiores depurações, podem-se intuir as diferentes limitações que irão se instalar, do lado do sujeito, uma vez que as condições elementares de troca não se tornarão possíveis. Isso não impede que, no curso da estruturação, os efeitos

[11] Vivès, J-M. Para introduzir a questão do ponto surdo. In *Variações psicanalíticas sobre a voz e a pulsão invocante.* (V. A. Ribeiro, Trad.). Rio de Janeiro: Editora Contracapa, 2018, p.15.

de tratamentos lhe permitam estabelecer vínculos, mesmo que reduzidos, devido à criação de próteses, desde as quais se faz ouvir e consente em ser ouvido, bastante limitadamente.

Nessa primeira condição de fracasso, deixo indicado como responsável um curto-circuito entre o segundo e o terceiro tempo da constituição do ponto surdo. Há um congelamento no segundo tempo, implicando, portanto, uma posição do sujeito em que ele inclui o Outro, mas não insiste em se fazer ouvir, tampouco em ouvi-lo. Todo o processo de libidinização das zonas erógenas e das trocas a partir delas se mantém prejudicado.

A segunda condição de fracasso do ponto surdo se encontra relacionada com a estase do sujeito no momento em que é investido pela voz/desejo do Outro. Lembremos que a instalação do ponto surdo é concomitante ao exercício do recalque, ou seja, da instalação da metaforizarão, enquanto substituição do que vem do Outro, de maneira a realizar uma significação que permita a construção de um sentido particular. Se a condição de fracasso se instala como prejuízo da metaforização, o sujeito não se faz surdo à voz do Outro, e daí iremos recolher as consequências desse fracasso nos quadros das alucinações psicóticas, tanto quanto da telepatia mantida por tais sujeitos. Em se tratando das alucinações psicóticas, recolhemos os efeitos de fracasso do ponto surdo na medida em que o sujeito conta de si mesmo, a partir das vozes que o invadem falando dele e nele mesmo.

Pela experiência da telepatia em tais condições constatamos que o sujeito estabelece conversações e trocas sem que o Outro dirija a ele qualquer tipo de mensagem. Procurei mostrar isso a partir de dois tipos de manifestação do curto-circuito do ponto surdo, tanto pela condição em que o Outro se impõe segundo uma vocação absoluta, quanto pela não inclusão nele.

Mediante a vocação ao absoluto que o Outro mantém com o sujeito, como condição de fracasso do ponto surdo, retira-se de cena, por um lado, a condição de metaforizaçao do discurso, mas, por outro, leva o sujeito a insistir num tipo de construção metafórica, seu delírio, que à diferença com a metaforizaçao simbólica, dá um sentido à sua existência. Isso significa que, tal como na primeira condição de fracasso do ponto surdo, onde o Outro não contava, nessa segunda condição, o Outro, mesmo com vocação absoluta, não chega a eliminar a possibilidade de o sujeito se contar de forma particular, ainda que a título do nome de um destino a ser cumprido. Tal como em uma das cinco psicanálises relatadas por Freud, a do caso Schreber, o sujeito se conta como sendo A mulher de Deus, a partir da deflagração do delírio.

O fato de existirem possibilidades de próteses, metaforizaçao delirante no lugar da simbólica, não faz essas invenções responsáveis por efeitos equivalentes àqueles que são encontrados pela constituição do ponto surdo. Trata-se de diferentes modalidades de funcionamentos subjetivos, que constituem diferentes modalidades de operação da voz.

Nesse sentido, esclarece-se que a voz não é sinônima somente daquilo que é escutado, mas de presença que permite o acesso aos significantes da linguagem, ligando-os pela sustentação entre as palavras. Elas, a partir do fracasso do ponto surdo, podem tanto não ser ligadas, quanto coladas.

Cabe perguntar se não haveria um terceiro tipo de fracasso do ponto surdo, no qual o sujeito, mesmo tendo-o constituído, é capaz de agir suspendendo seus efeitos, ou seja, como se ele não existisse durante um tempo de maior ou menor duração. Como isso é possível, e quais as consequências que se produzem a partir desse fracasso?

O TERCEIRO FRACASSO DO PONTO SURDO

Constatamos que o fracasso da constituição do ponto surdo, como sinônimo de perda da efetividade da metáfora, só é articulável de forma rigorosa a partir do circuito que se instala, desde a estruturação, entre o sujeito e o Outro. À diferença com os dois fracassos indicados anteriormente, nessa terceira modalidade o próprio circuito se apresenta como suscetível de falhar, ou seja, há possibilidade de a metáfora não operar de uma forma sustentável. É importante notar que a suspensão da operação metafórica indicada aqui não implica admitir que a condição de metaforizaçao funcione numa espécie automático que tem êxito sempre. O que se procura realçar com essa articulação são as diferentes modalidades de falha como constitutivas.

Comecemos situando ao menos três elementos responsáveis por esse tipo de fracasso: O primeiro refere-se à necessidade de situar a transmissão da metáfora, por via do desejo da mãe. Não é preciso que a mãe seja psicótica para que essa transmissão se realize de forma parcial. Tanto é assim, que a mãe pode se ocupar do filho de tal maneira que garanta a ela não precisar se haver com outro tipo de investimento, por exemplo, em sua relação conjugal. Assim, não somente ela se retira de cena, mas também, nesse recuo, é todo um conjunto de investimentos da sexualidade que fica em suspenso. Portanto, não há substituição da função materna para a posição de mulher referida a um terceiro para além do filho, pelo desejo.

Quando faço menção a esse tipo de subtração do investimento desejante, tenho como objetivo mostrar que a efetividade do poder metafórico pode ser colocada fora de operação, com maior ou menor potência, mesmo que a atenção da mãe à criança se mantenha promotora de admiração.

O segundo elemento responsável pelo fracasso da efetividade do ponto surdo, enquanto poder de engendramento da metáfora no circuito com o Outro, tem a ver com a incidência mais acentuada, na vida do sujeito, da ação do supereu. Isso significa que o discurso tende a ser orientado de forma mais dominante pelos imperativos e não pelas escolhas. Não somente o sentimento de obrigação e a culpa devem ser associados ao supereu, mas também sua face que promove a transgressão das limitações simbólicas. Isso tende a suscitar a equivalência com mais facilidade do que se admite, da transgressão com a libertação.

A transgressão das limitações simbólicas promovidas pelo supereu tem a mesma consistência do caráter imperativo do discurso, uma vez que o ponto comum é o assujeitamento a uma lei de gozo sem interdito. Consequentemente, em cada uma delas o poder da metáfora se reencontra praticamente fora de operação.

O terceiro elemento responsável pelo fracasso do circuito entre o sujeito e o Outro, enquanto suspensão da ação da metáfora mantém-se referido ao fundamento da vida social nas sociedades de mercado capitalista, estruturadas que se encontram para promover a mais valia e o consumo das mercadorias.

Sabe-se que a mais-valia é um conceito do âmbito da economia politica, introduzido por Karl Marx, que se mantém verdadeiro em análises da sociedade de produção capitalista. Isso porque a mais-valia, enquanto valor da força de trabalho despendido que não é remunerada ao trabalhador, introduz como fundamento da produção o excesso, o a mais que é perdido pelo trabalhador. Isso nos interessa, pois faz constar na estrutura do funcionamento dessas sociedades o gozo do lado do capitalista. É o momento em que ele ri, no Capital.

Em contrapartida, o que a Psicanálise revela a partir de Lacan, é que há gozo do lado do trabalhador, assinalado por ele como proletário. Destino comum. Esse gozo, chamado de mais-de-gozar, esclarece-se pelo empenho a mais, portanto sacrificial, que empurra cada um na busca de uma satisfação inédita, qual seja, pelo encontro ou pela posse de um objeto que supostamente estaria faltando para obter satisfação, pelo consumo.

Uma vez que não há satisfação absoluta e que ela, a satisfação, não é sinônima de prazer como queda de tensão, toda concepção de satisfação virá marcada pela condição transitória e parcial. Por isso mesmo, esse gozo à busca incondicional de satisfação realizará uma constante renovação das mercadorias, as quais serão, cada vez mais, marcadas pelo brilho do fetiche. O que faz brilhar as mercadorias, na verdade, não se encontra em cena, não se dando a ver. Trata-se de uma montagem numa cena onde o sujeito é seduzido para se ver nela, acreditando que lhe é possível ter acesso.

Tal como aqui assinalado anteriormente, não é porque o sujeito participa desse tipo de apelo e inserção no laço social que ele se encontra impedido de realizar o processo de metaforizaçao. Contudo, é verdade também que essa estrutura não age, hoje, sem uma outra presença que redobra a limitação da subjetivação, enquanto da barreira ao gozo. Trata-se de incluir os determinantes do mundo digital que, pela Internet, fez se proliferarem à exaustão espaços de discurso que desconhecem até mesmo o significado de metáfora. Some-se a esse ambiente o fato de que o anonimato é a Lei, condição de fomento para imperativos refratários à dialetização. É sobre isso que Evgeny Morozov nos adverte: "A aldeia global jamais se materializou — em vez disso, acabamos em um domínio feudal, nitidamente partilhado entre as empresas de tecnologia e os serviços de inteligência."[12].

Quando decidi incluir uma referência, mesmo que limitada, à sociedade de mercado capitalista e à Internet, como elementos a serem incluídos como responsáveis na redução da metaforizaçao, é porque neles constatamos a vigência de um apelo à objetificação, enquanto apelo a abandonar a condição de escolha e ceder à dominância da voz do Outro com seu cortejo de objetos.

No avanço dessa elaboração seremos levados a considerar consequências que se recolhem em relação à política e à democracia. Isso porque, na aposta da mercantilização, o que importa não é mais insistir na vida participativa e representativa, mas sim, na passagem de cidadão para consumidor.

E este, por sua vez, será cada vez mais crítico aos benefícios que porventura precisem ser dispensados aos que se encontram fora do mercado de trabalho. Ao mesmo tempo, serão cada vez mais refratários a levar em consideração as limitações que as negociações envolvem no sistema democrático. Tal como a lei do mercado os ensinou o que importa é que a mercadoria exista para ser consumida, os meios não importam mais, ou seja, os meios da política e da democracia.

[12] Morozov, E. Big Tech: *A ascenção dos dados e a morte da política.* (C. Marcondes, Trad.). São Paulo: Ubu, 2018, p.37.

O TERCEIRO FRACASSO E O SOLO DAS VOCIFERAÇÕES

Os três elementos indicados como responsáveis pelo fracasso do ponto surdo no circuito entre o sujeito e o Outro colocaram em destaque: o desejo da mãe, a ação do supereu e o discurso do capitalista na era da Internet.

Por que essa insistência em fazer constar tais elementos, e ainda, na companhia da objeção à política e a democracia? Porque vivemos no século XXI, e mesmo que a estrutura do sujeito se mantenha referida às questões do desejo e do gozo, elas assim se sustentam, na medida em que são atualizadas pela presença desses elementos de agora.

Não é tão difícil perceber que nessa modalidade de laço social haja maior facilidade para suspender a presença da metaforizaçao, mas não somente, porque em se tratando de dinamismo subjetivo, não há apenas a constatação de algo que não funciona. Além disso, efeitos são produzidos. No lugar da metaforizaçao, ou seja, no lugar da expressão de particularidade, encontra-se, outra vez, o retorno das vociferações.

Elas comparecem em massa nos momentos em que a ausência da particularidade se faz substituir por um discurso e uma posição subjetiva em que aquilo que importa são as crenças e não a verdade. Como levar em consideração a verdade, quando o tecido simbólico foi perfurado de tal maneira que passamos a ter de nos haver com o retorno dos infernos, ou seja, com tudo o que o ponto surdo até então havia mantido recalcado?.

Há um consentimento grotesco, criado a partir do momento em que as leis da fala são adulteradas e, consequentemente, o sentido da realidade. É como se, de uma hora para outra, cada um estivesse autorizado a denegrir, ofender, agredir e exercer todo e qualquer tipo de violência, em nome de sua própria vontade. Que é, não somente, a vontade certa, mas também a certeza dessa vontade precisar ser cumprida.

Trata-se, portanto, de um acontecimento de captura do sujeito, no qual ele empresta a sua voz, não mais para obtê-la como própria, mas sim para dar voz a um Outro que exige dele a anulação de sua particularidade. Esse Outro estruturado no contexto que indiquei da sociedade atual, a depender do país, e dos diferentes afetos, instrumentalizados, passará a ser o responsável pela introdução do gozo das vociferações como expressão autêntica da incorporação do demônio, com a finalidade de agir de maneira infernal, nunca vista e ouvida antes.

Afirmo que as vociferações são um retorno, porque se elas acontecem como possibilidade de fracasso do ponto surdo, e isso significa que essa possibilidade nos é intima. Em outras palavras, há consentimento para abdicações das leis da fala nos momentos em que os sujeitos se veem levados a acreditar que aquilo que importa não é a mediação, muito menos a subjetivação. Nada de angústia, nada de impasse, nada de limitação e nem de argumentos contrários. O que importa é agir; que seja à força, sequer está em consideração.

Os seres que vociferam falam, mas não têm voz. Por isso mesmo suas falas são imperativas e refratárias ao diálogo. Encontram-se entre as vociferações os chamados chavões, palavras vazias destituídas de argumentos. Impõem-se pelo grito — diferentemente da enunciação que se sustenta pela presença de sujeito — e não pelo desaparecimento dele na fala. Se as vociferações evocam o demoníaco é tão somente porque, a partir de então, são criadas as condições para trazer à tona tudo aquilo que só podia surgir no público, em pouquíssimas ocasiões.

O SOLO E AS RAÍZES DAS VOCIFERAÇÕES

Quando insisto em mostrar que as vociferações são uma condição que nos habita e as situo a partir do fracasso do ponto surdo, tenho como objetivo não recriar um Outro culpado, tampouco um sujeito inocente.

Elencar o desejo da mãe, a ação do supereu e as modalizações discursivas do laço social, não é sinônimo de responsabilizar cada um deles, em grupo ou isoladamente, pela emergência das vociferações. Mas é certo, também, que é aí, a partir de um desses elementos que é preciso buscar o solo onde são germinadas e crescem.

As raízes das vociferações tendem a crescer com maior força no solo em que são adubadas pelo ódio. Não qualquer tipo de ódio, mas um em particular, o qual, por sua vez, é a expressão de sua potência enquanto ódio ao herege, empenhado em destruir aquele que escolhe, aquele que vem de Outro lugar, que não tem as mesmas referências, suscetível de causar surpresa e divisão, ou ainda, de introduzir fracassos e impossibilidades.

É certo que cada ser falante, em um ou em muitos diferentes momentos da vida, experimenta essa modalidade de ódio. Até porque, como Freud ensinou em sua obra, há uma primariedade do ódio em relação ao amor, porquanto a atribuição da existência de um Outro responsável pelas minhas frustrações e privações é um dos tempos necessários de serem vividos pelo sujeito para conquistar condições de assimilar que as causas das limitações atribuídas a um Outro, na realidade, comparecem no âmago de sua constituição e existência. Entendendo aqui que tal admissão é um ato de consentimento para perder a suposição de continuidade entre aquilo que se procura e aquilo que se acha, entre aquele que fala e aquele de quem se fala.

Uma condição inteiramente diferenciada é introduzida pelas vociferações. Em seu caso, não se trata mais de consentimento à perda, mas sim de sustentação resoluta de crenças — crenças, essas, estruturadas pela certeza no lugar da verdade. Isso significa não somente a presença de uma condição refratária a mudanças, mas muito mais da criação de uma realidade própria que, mesmo sem fundamentos para sustentar os sujeitos, se orientará para a destruição de tudo aquilo que possa ser fonte de desmentido de suas convicções. Daí o ódio que se estende tanto à ciência, quanto a posições que argumentem a partir de Outras referências às quais se permite serem colocadas à prova, ou seja, que dialogam.

Diferentemente do que se tende a acreditar, tais crenças não devem ser referidas exclusivamente às orientações religiosas. Até porque, na atualidade, é preciso poder distinguir os monoteísmos das seitas, considerando que estas últimas têm encontrado espaço abrangente para se estabelecerem como sinônimas de religião.

Existem ao menos três elementos que distinguem as seitas. Primeiramente, a condição de se encontrar nelas, fora de operação, uma tradição de leitura com interpretação do texto sagrado que afirmam seguir. Nesse caso, trata-se de aplicação literal do texto escrito, transformado em preceito. Por consequência dessa posição se produz, em segundo lugar, um conjunto de regras e obrigações que deverão orientar a conduta dos fiéis, como deveres e obrigações que regulam sua relação com a vestimenta, a aparência e a rigidez dos movimentos corporais. Em terceiro lugar, as seitas se distinguem dos monoteísmos devido ao tipo de lugar e investimento que realizam junto aos jovens. Estes são preparados para fazer o mesmo, seguindo os mesmos princípios. Nesse ponto, haveria de ser buscada a ligação, pelo princípio de continuidade, fazendo o mesmo, agora e no futuro, como as gangues, aquelas existentes nas prisões, como o clássico de Edward Bunker, *Fábrica de Animais*[13] nos introduz como realidade.

AS VOCIFERAÇÕES E AS VOZES DA ESTUPIDEZ

Falei antes da crença e seu fundamento na certeza de uma realidade inteiramente estruturada pela recusa do Outro como alteridade. Daí o ódio ser a paixão que as move — o ódio ao herege, enquanto aquele que escolhe e dialoga. Por essa razão é preciso considerar a incidência da crença como princípio de funcionamento das seitas. E isso significa afirmar que todo aquele que participe de uma seita seja vociferante? Sim, porque aquele que participa de uma seita consente em abdicar da própria voz para ser tomado pela voz absoluta do Outro.

É muito fácil, e por isso mesmo, muito comum, indicar esse tipo de consentimento a alguma limitação dos envolvidos, seja intelectual ou econômica. Tal análise perde de vista que são os sujeitos que vão buscar esse assujeitamento, demanda essa que é efeito de ofertas de salvação, e entendendo que aquilo que é

[13] Bunker, E. *Fábrica de animais*. (F. R. S. Innocencio, Trad.). São Paulo: Editora Barracuda. 2007.

operante na oferta de salvação não é apreendido no conjunto das obrigações e da moral. A crença é operante porque cria uma outra realidade, aqui na Terra, onde não é mais preciso se ligar com o mundo que está à volta. O que interessa é poder sustentar uma divisão que é ao mesmo tempo separação da realidade social, com seus diferentes apelos e conflitos.

O fascínio dessa nova realidade é que, nela, o sujeito não precisa escolher. Tudo está decidido e definido para ele seguir. Não por acaso, o ódio ao herege, enquanto aquele que escolhe, encontra-se promovido como condição de sua estruturação. É preciso odiar o herege, ver nele o demônio, de quem não se deve aproximar, e com quem não se deve envolver. A destruição do herege é condição para que o princípio da realidade das seitas se sustente. "O sangue do Kafir, o infiel, é halal, legítimo, para vocês, portanto derramem-no."[14]

Uma vez que as vociferações têm verniz religioso, elas se instalam pela abdicação da própria voz em nome de um Deus sacrificial. Não chegam a se valer sempre do ódio como instrumento de violência sobre o corpo do Outro.

As seitas são o lugar em que a estupidez, como política, encontrará o solo por onde disseminar seus princípios e realizar pactos sinistros. Não por acaso, muitos líderes populistas irão se beneficiar do prestígio de seus cargos para conseguir legitimidade, recíproca, junto a igrejas que fazem questão de se apresentarem como tais, enquanto estratégia para manter o mercado da fé. Quando a fé é instrumentalizada pelo mercado religioso ela se transforma em crença, em certeza, numa condição de desposessão de si mesma que recobre a voz do sujeito, deixando-o entregue a

[14] Calasso, R. *O inominável atual* (F. Carotti, Trad.). São Paulo: Companhia das Letras, 2020, p.15.

um Outro que o define. Assim, não somente a condição para as vociferações se anuncia como possível, mas também a cumplicidade com a estupidez vem coroar o surgimento do hediondo.

O nascimento de seres hediondos a partir de humanos ocupou e ocupa várias produções de histórias e filmes de terror. Seja com *O Bebê de Rosemary*, seja com os zumbis que vêm mostrar mutação na humanidade, encontramos sempre a presença de uma condição na qual não somente as leis que regulam o laço social foram apagadas. O apetite para a destruição do mundo humano, a começar pelos próprios seres humanos, é o que age como causa de satisfação. Um detalhe chama a atenção, já que os humanos aí existentes rapidamente passam da condição de combatentes pela humanidade, para ocupar um lugar na massa que atua para destruí-la.

Foi Ionesco quem, numa peça de teatro magistral, *O rinoceronte*, não apenas mostrou essa cativação em massa pela destruição do humano em seu corpo e em sua condição de falante, como também revelou uma cegueira e uma surdez ativas para a aproximação e incorporação do animal.

Logo após ter anunciado que as autoridades aderiram à passagem de humano para rinocerontes, a personagem Daisy vai revelar uma característica deles mais importante que o amor: "Estão de acordo com eles mesmos" (...) Da mesma forma, segundo ela, o consentimento à transformação em rinoceronte é "uma necessidade que se impõe para acompanhar a evolução."[15]

No contexto da peça de Ionesco, somente um personagem, Bérenger, não cederá à transformação em rinoceronte. Ele vai viver o drama, não menos presente em nossos dias, de se

[15] Ionesco, E. *O rinoceronte*. [https://programadeleitura.files.wordpress.com/2013/04/o_rinoceronte_-_eugene_ionesco.pdf].

encontrar privado das condições de falar com os rinocerontes, devido a manter a língua humana. Além de existir uma impossibilidade de falar com eles, encontra-se lançado numa condição de "infeliz daquele que quer conservar a sua originalidade."[16]

A cativação de se transformar em rinoceronte como recurso para se desvencilhar de qualquer traço de humanidade também conquistou a condição de manter viva a decadência, mesmo depois que ela praticamente naufragou. Foi o que nos mostrou Federico Fellini ao final de seu filme *E la nave vá*, quando nos conduz a escutar a fala dos sobreviventes, num bote salva-vidas, dizendo que só conseguiram se manter vivos graças ao leite do rinoceronte fêmea que se encontrava no porão do navio.

O impasse deixado no final da peça de Ionesco, expresso pela afirmação de "conservar a sua originalidade", falando uma língua que não acessa mais o diálogo com a língua dos rinocerontes, foi ampliado por Samuel Beckett ao final de seu texto *O inominável*[17]. Diz ele: Sim, na minha vida, posto que é preciso chamá-la assim, houve três coisas: a impossibilidade de falar, a impossibilidade de me calar e a solidão física; é claro que com isso tive que me virar.

Para articular um se virar a partir das vociferações siderantes dos rinocerontes, tanto quanto dos discursos que preparam para esse tipo de incorporação, é preciso avançar na estupidez como sinônimo de uma posição em que os sujeitos "causam dano a uma outra pessoa, ou grupo de pessoas, sem obter benefícios para si mesmos"[18], podendo inclusive perderem fortemente com suas próprias ações.

[16] Ibid, p.102.

[17] Beckett, S. *O inominável*. (A. H. Souza, Trad.). Rio de Janeiro: Globo. 2009, p.162.

[18] Cipolla, C. M. *As leis fundamentais da estupidez humana*. (M. R. Barcia, Trad.). Cangas, Pontevedra, Espanha: Rinoceronte Editora, 2009, p.40.

A ESTUPIDEZ COMO ENCANTAMENTO PARA AS VOCIFERAÇÕES

As diferentes articulações realizadas até agora tiveram como objetivo demarcar o significado das vociferações e revelaram que, na referência da peça de Ionesco, existe encantamento para se transformar em rinoceronte e falar sua língua. Esse encantamento de zurrar e de destruir foi reconhecido pelo único sobrevivente da peça, o que se manteve na fala humana, quando afirma ao final: "Há um certo atrativo no canto deles, um pouco rude, mas mesmo assim atraente."[19]

Mas por que a passagem da fala para o zurro animal é cativante? Segue-se a isso uma segunda interrogação: O que é que promove essa passagem?

As preocupações relativas a preservar a estupidez como discurso que visa combater tanto o diálogo com o Outro quanto quaisquer argumentações que abalem seus fundamentos, foram antevistas por Arthur Schopenhauer ao escrever sua Dialética erística, traduzido no Brasil como Como vencer um debate sem precisar ter razão". Em 38 estratagemas o autor antecipa o que seria utilizado pelos estúpidos para recusar o argumento racional, ou seja, um discurso com trocas, opiniões, argumentos, pontos de vista e etc. E com sua Dialética erística, Schopenhauer vai nos expor aquilo com o que viríamos a nos deparar mais tarde com os desdobramentos, nem sempre admiráveis, da modernidade. Diz ele: "A dialética erística é a arte de discutir e, mais especificamente, de discutir de modo a ter razão, por meios lícitos ou ilícitos."[20]

[19] Ionesco, E. *O rinoceronte*. [https://programadeleitura.files.wordpress.com/2013/04/o_rinoceronte_-_eugene_ionesco.pdf]

[20] Schopenhauer, A. 38 estratégias para vencer qualquer debate. (C. Werner, Trad.). São Paulo: Faro Editorial. 2014, p.11.

O próprio autor se pergunta: "De onde vem isso?", e responde: "Do componente altamente perverso da natureza humana". Ou ainda, que tal condição de vencer a qualquer custo participa de uma colaboração mútua entre "a fragilidade de nossa compreensão e a perversidade de nossa vontade"[21]. Não deve ser por acaso que esse livro, em uma das traduções existentes, lançado pela editora Topbooks, trouxe comentários e notas do autointitulado filósofo e guru do bolsonarismo, Olavo de Carvalho.

Se Schopenhauer teve a preocupação de nos transmitir o tipo de discurso com o qual haveríamos de nos deparar, é porque anteviu com esse livro, sem nomeá-la, a vigência da estupidez. Não se trata somente de uma antecipação que alguns artistas e escritores realizam. A estupidez, tal como o fascismo, sabe esperar.

> É como um herpes — os organismos primários são sempre aqueles dos quais mais se aprende — que podem resistir décadas inteiras na medula da democracia fazendo-se invisível, para depois aparecer mais viral do que nunca no primeiro e previsível enfraquecimento de seu sistema imunológico[22].

Nessa direção é decisivo reconhecer que a estupidez, como discurso que prepara para as vociferações, se vale, diferentemente do que supunha Schopenhauer, não somente de meios lícitos ou ilícitos, mas sim de meios ilícitos que triunfaram como lícitos. Para essa transformação ser possível é importante lembrar o Elogio da loucura, através de Robert Musil (1880-1942) em seu ensaio *Sobre a estupidez*: "(...) sem algumas estupidezes o ser

[21] Ibid., p.25.

[22] Murgia, M. *Instruções para se tornar um fascista*. Belo Horizonte/Veneza: Editora Âyiné, 2016, p.20.

humano nem sequer viria ao mundo". Entendemos, assim, que "a rudeza é a prática da estupidez."[23]

Ao indicar uma presença e abrangência da estupidez muito mais familiar ao humano do que admitimos é que encontramos condições de situá-la, nos seguintes termos: "(...) algo é realmente estúpido ou ordinário, não só uma interrupção da inteligência, mas também a tendência cega à destruição ou à fuga desprovida de sentido."[24]

Quais são as condições que levam à interrupção da inteligência, tanto quanto da cegueira destrutiva do sentido? Com essa pergunta quero ressaltar que os seres humanos podem e são cativados na direção da cegueira e da surdez. Essa é a realidade instaurada pela estupidez. Ela se sustenta pela força, visando destruir qualquer possibilidade de contrapartida. Enfim, por que isso se estabeleceu assim?

Para esboçar um princípio de resposta é necessário reconhecer que se a estupidez com as vociferações ganharam espaço é porque as iniciativas de bem-estar social anunciadas pelos regimes democráticos não atenderam sequer minimamente o que prometeram. Mas, não somente. Menos ainda por nos levarmos pelo canto enganador das leituras mecanicistas que supõem que, se não fossem tais restrições, haveria paz e felicidade, mesmo que num horizonte longínquo.

[23] Musil, R. *Sobre a estupidez*. Veneza: Ed Âyiné. 2016, p.15bid, p.15.
[24] Ibid., p.45.

Ao limitar as articulações das questões que afetam os sujeitos sem levar em conta a presença dos afetos, deixamo-nos encantar pela suposição de que a democracia é, por si mesma, uma solução. Ao contrário, se a vida humana marcada por subjetividade desejante encontra espaço nas democracias para se expressar, isso significa que, ao mesmo tempo em que os sujeitos poderão contar com meios e recursos para a escuta e encaminhamento de seus conflitos e impasses, estes se encontrarão, também, com a possibilidade de manifestarem a presença das vociferações. Mas, por que, afinal, existem vociferações nas democracias?

Porque antes de ser solução, a democracia tem a ver com a intensidade da vida que ela promove. Podemos escutar aqui os ecos das palavras que identificam democracia com excesso e consumo. Sem dúvida iremos avançar nesse ponto, não sem antes esclarecer que:

> O processo democrático é o processo desse perpétuo pôr em jogo dessa invenção de formas de subjetivação e de casos de verificação que contrariam a perpétua privatização da vida pública. A democracia significa, nesse sentido, a impureza da política, a rejeição da pretensão dos governos de encarnar um princípio uno da vida pública e, com isso, circunscrever a compreensão e a extensão dessa vida pública. Se existe uma 'ilimitação' própria à democracia, é nisso que ela reside: não na multiplicação exponencial das necessidades ou dos desejos que emanam dos indivíduos, mas no movimento que desloca continuamente os limites do público e do privado, do político e do social.[25]

[25] Rancière, J. *O ódio à democracia*. (M. Echalar, Trad.). São Paulo: Editora Boitempo. 2014, p.81

Reconhecer que nas democracias encontramos o deslocamento dos limites do público e do privado significa que as condições de cada um dos sujeitos se encontram mais e mais afetadas pelas implicações da presença do Outro na constituição do laço social. A depender do estatuto do Outro, ou seja, das condições para a constituição de laços simbólicos e subjetivantes, poderemos apreender discursos que promovam limites à estupidez e às vociferações, ou não.

Antes de avançar no estatuto do Outro nas sociedades democráticas atuais, lembremos que "a democracia significa uma ruptura na ordem da filiação."[26] E é exatamente essa condição que vai permitir que a democracia se estabeleça como a força fundadora da heterotopia, enquanto sinônima do estabelecimento de funcionamentos diversos da norma ou do habitual, garantindo assim "a limitação primeira do poder das formas de autoridade que regem o corpo social."[27]

A despeito da condição decisiva que a democracia empresta à vida política, na medida em que aquilo que lhe é constitutivo é um vazio central que permite o advento de diferentes ordenamentos, é verdade também que, em exemplos admirados, ela foi construída, como no caso da Europa pós-Segunda Guerra Mundial, sobre inclinações criminosas. Ou seja, erguida sobre os escombros do genocídio produzido pelos nazistas, como demonstrou exemplarmente Jean-Claude Milner em seu livro *As inclinações criminosas da Europa democrática.*[28]

Isso significa admitir que, quanto mais a democracia foi e continua sendo assimilada como solução ideal para os diferentes

[26] Ibid., p.26.
[27] Ibid,. p. 26.
[28] Milner, J. C. *Las inclinaciones criminales de la Europa democrática*. Buenos Aires: Editora Manatial, 2007.

cortejos de destruição, passados e presentes, mais se imprime força ao significante solução como forma de produzir o desaparecimento de uma história que faz retomar seus fantasmas, agora com direito de cidadania. O retorno de grupos neonazistas é tão somente uma pequena face desse problema cuja solução escapa, mesmo quando esta última se mantém em sua vocação nazista, enquanto solução final.

Retornar às vociferações nas democracias implica, de saída, reconhecer que é nos países democráticos que o discurso da estupidez, tanto quanto as vociferações que lhe emprestam voz, irão encontrar abrigo — condição causada não somente porque nos regimes democráticos se mantém uma desproporção em relação às desigualdades sociais e econômicas. Mais além, há de se considerar:

> os efeitos psicológicos que dependem do declínio social da imago paterna. Declínio condicionado pelo retorno de efeitos extremos do progresso social no indivíduo, declínio que se marca, sobretudo, em nossos dias, [*lembremos que o psicanalista Jacques Lacan escreveu isso em 1938*], nas coletividades que mais sofreram esses efeitos: concentração econômica, catástrofes políticas.[29]

Pela citação fica evidenciado que, ao se tratar do laço político estabelecido nos regimes democráticos, hão de existir, necessariamente, os efeitos psicológicos desse tipo de declínio.

Comecemos considerando que esses efeitos implicam uma dupla articulação, sendo a primeira a de decidir que é necessário, como sustenta Vladimir Safatle:

[29] Lacan, J. *Os complexos familiares*. (M. A. C. Jorge, Trad.). Rio de Janeiro: J. Zahar, 1987, p.60.

> (...) partir de uma compreensão distinta do que é uma sociedade. Talvez precisemos partir da constatação de que sociedades são em seu novel mais fundamental, circuitos de afetos. Enquanto sistema de reprodução material de formas hegemônicas de vida, sociedades dotam tais formas de forças de adesão ao produzir continuamente afetos que nos fazem assumir certas possibilidades de vida a despeito de outras.[30]

Depreende-se daí a segunda articulação, qual seja, a de que 'os efeitos psicológicos que dependem do declínio social da imago paterna' permitem situar a constituição das subjetividades numa referência que não mais se mantém exclusiva ao espaço familiar, tampouco aos ordenamentos paternos. Trata-se, portanto, de esclarecer quais são as possibilidades de afeto que serão mobilizados à luz de tal declínio.

O CANTO DAS SEREIAS DOS MOVIMENTOS TOTALITÁRIOS

É curioso constatar que, no manejo político dos conflitos nas sociedades democráticas, por estas prescindirem dos afetos, supôs-se sempre que se poderia contar com uma espécie de conformismo adaptativo às soluções não cumpridas. Ledo engano, tal como constatamos no exercício da Psicanálise: um dia, aquilo que foi censurado de comparecer retorna com a força de uma potência avassaladora, exigindo repetitivamente ser reconhecido.

Para acompanhar o que vem sendo exposto é necessário não se apressar em supor que todo retorno é realizado necessariamente

[30] Safatle, V. *O circuito dos afetos*. São Paulo: Cosac Naify. 2015, p.17.

contando com a possibilidade de despertar indignação a serviço do encaminhamento de soluções. Considerando que as sociedades democráticas se constituíram como solo de expansão do capitalismo, o avanço deste último produziu "expulsões de projetos de vida e de meios de sobrevivência, de um pertencimento à sociedade e do contrato social que está no centro da democracia liberal" (...) "na qual o mercado financeiro é um facilitador fundamental."[31]

Diante de tal quadro, os expulsos não irão responder somente com contestação e ressentimento, mas também pelo ódio de terem sido jogados fora, abandonados e não reconhecidos. É importante lembrar que, em 1950, data da primeira edição de um de seus clássicos, Origens do totalitarismo, Hannah Arendt nos que:

> O que prepara os homens para o domínio totalitário no mundo não totalitário é o fato de que a solidão, que já foi uma experiência fronteiriça, sofrida geralmente em certas condições sociais marginais como a velhice, passou a ser, em nosso século, a experiência de massas cada vez maiores. O impiedoso processo no qual o totalitarismo engolfa e organiza as massas parece uma fuga suicida dessa realidade.[32]

Consideremos que essas palavras procuram articular, retrospectivamente, os meios pelos quais o nazismo ganhou força e adesão. No entanto, as sociedades democráticas, pós-nazismo, haveriam de se deparar com outro tipo de assujeitamento agora muito mais virulento, na medida em

[31] Sassen, S. *Expulsões: Brutalidade e complexidade na economia global.* (A. Freitas, Trad.) São Paulo: Editora Paz e Terra. 2016, p.22.

[32] Arendt, H. *As origens do totalitarismo.* (R. Raposo, Trad.). São Paulo: Companhia das Letras. 2004, p.530.

que não precisou da guerra para se impor. Pier Paolo Pasolini, com sua habitual clarividência, o nomeou como "novo poder ainda sem rosto" (...), "uma forma 'total' de fascismo", já que, como consumidor e hedonista, "nenhum homem jamais foi obrigado a ser tão normal e conformista", mantendo "uma decisão de preordenar tudo com uma crueldade sem precedentes na história."[33]

Posição subjetiva essa que, à luz de se estabelecer como um "discurso sem palavras", segundo Jacques Lacan, tal presença, como discurso do capitalista, viria a firmar sua eficácia numa aliança com a ciência, na medida em que se ligam pela exclusão do inconsciente e do desejo sexual, tratando de comandar a linguagem, consumindo as mercadorias pelo fetiche, e apostando na promessa de eliminação do mal-estar. O convite à autodestruição ganha contornos conclusivos, quanto mais os seres falantes se afastam ou recusam sua constituição pelo desejo sexual. Tais condições de recusa conquistam expressão quanto mais o encantamento para as vociferações não se forma somente pela mutação de seres humanos em dejetos, expulsos da circulação social, mas também pela subdução em consumidores consumidos pelas mercadorias, assim como pela condição de patrocinadores patrocinados a serviço da estupidez.

A ESTUPIDEZ E SUAS LEIS FUNDAMENTAIS

Falei antes, lembrando Pasolini, do poder sem rosto que ele nomeou como sendo o novo fascismo, pela presença maciça da

[33] Pasolini, P. P. *Escritos corsários*. (M. B. Amoroso, Trad.). São Paulo: Editora 34. 2020, p.79.

produção de sujeitos que se transformam em consumidores, e seres sedentos de prazer. Referi-me a ele com o objetivo de mostrar um determinado tipo de mutação tanto no laço social, quanto das subjetividades que se mostraram mais cativas e cativadas pelo brilho das mercadorias.

Mas não somente por isso, porque, com Lacan, na referência ao discurso do capitalista, iremos apreender que sua efetividade se sustenta pela recusa da divisão subjetiva e da perda. E ainda, ao se valer de Marx, ele nos mostrou que a mais-valia é tanto o a mais que é realizado pelo trabalhador para sustentar o lucro do capitalista, com a produção, quanto o a mais que causa o desejo do trabalhador para relançar o ciclo, pelo sacrifício ao consumo sem limites.

Sim, é certo que isso acontece. Não opera de forma universal produzindo clones em todos os países. Contudo, lembremo-nos do seguinte: tal como a política nas sociedades democráticas praticamente não contou que a decepção retornaria por fora dos meios oficiais de contestação, fazendo-se surda às vociferações, agora se tende, mais uma vez, a considerar pouco que a vigência do discurso do capitalista promove, acentua um esvaziamento das subjetividades, como sinônima de desaparecimento de si mesmo. As pessoas não se mantêm iguais no decorrer dos tempos; elas se cronificam pela condição rasa e pela rudeza.

Não se trata de centrar uma crítica ao consumismo e à busca sem rumo do prazer. Antes ainda, trata-se de desimplicação com presença verdadeira, sustentando compromissos capengas, sem questionamento das próprias decisões pelo diálogo. Segundo David Le Breton:

> O indivíduo contemporâneo mais se conecta do que se vincula: embora ele se comunique cada vez mais, encontra-se cada vez menos com os outros. Prefere exatamente as relações superficiais que instaura ou abandona como lhe aprouver.[34]

Não é preciso refletir tanto para reconhecer que tais sujeitos se encontram desinteressados da política, assim como de qualquer laço que inclua o tensionamento no diálogo. Nessas condições, é preciso reconhecer uma exaustão em relação à política, tanto quanto uma política da exaustão.

Com esta última expressão, cunhada pelo jornalista David Brooks[35], ele introduziu com seus termos, o que procurei ressaltar antes por via dos patrocinadores patrocinados da/pela estupidez. Sejam os eleitores que querem retornar a uma época que não existe mais, melhor dizendo, que nunca existiu da forma em que é lembrada, sejam os eleitores que delegam a um Outro suposto decidido, imaculado de vícios políticos, capaz de suprimir os meios para chegar logo aos fins, o que encontramos nesse universo são os eleitores da estupidez. Contudo, em um e em outro caso, sejam eles desiludidos ou fanáticos, o certo é que fazem parte da cena política atual. E não será pela via de discursos depreciativos e acusatórios, tampouco martelando nos ouvidos a importância da política, que alguma coisa será modificada.

Há uma exaustão de discursos sobre o melhor a ser feito. Tal como ensina a clínica psicanalítica para um psicanalista, é preciso escutar, se orientar, antes de falar alguma coisa. E

[34] Le Breton, D. *Desaparecer de si: uma tentação contemporânea*. (F Morás, Trad.). Petrópolis, R.J.: Vozes. 2018, p.12.

[35] Brooks, D. A *política da exaustão*. O Estado de São Paulo. Seção Internacional. 15/dez/2019, p.A15.

o que está diante de cada um de nós, como estupidez, possui suas leis fundamentais.

Carlo M Cipolla, historiador econômico e medievalista italiano, no estudo que publicou com o título *As leis fundamentais da estupidez humana*[36], isolou as cinco leis da estupidez:

1ª: Sempre e inevitavelmente cada um de nós subestima o número de indivíduos estúpidos que existe em circulação;

2ª: A probabilidade de que uma determinada pessoa seja estúpida é independente de qualquer outra característica dessa mesma pessoa;

3ª: Todos os seres humanos pertencem a uma das quatro categorias fundamentais: os coitados, os inteligentes, os ladrões e os estúpidos;

4ª: As pessoas não estúpidas subestimam sempre o potencial nocivo das pessoas estúpidas. Concretamente, os não estúpidos esquecem constantemente que, em qualquer momento e lugar, em qualquer circunstância, tratar e/ou associar-se com indivíduos estúpidos manifesta-se infalivelmente como um erro gravíssimo

5ª: A pessoa estúpida é o tipo de pessoa mais perigoso que existe.

[36] Cipolla, C. M. *As leis fundamentais da estupidez humana*. Cangas, Pontevedra, Espanha: Rinoceronte Editora, 2009.

É notável que o autor das cinco leis da estupidez humana tenha assinalado que há uma subestimação do número de estúpidos à nossa volta. Digo que é notável porque, na peça de Ionesco, *O rinoceronte*, a subestimação está presente desde o início, seja sob a forma de surdez ao barulho desses animais, tanto quanto ao se duvidar de que sejam realmente rinocerontes, mesmo depois de serem vistos se multiplicando na cidade.

Na segunda lei reencontramos indicado o que assinalei como possível, ou seja, a transformação lenta e gradual, nem sempre exitosa, de uma mudança de posição. Isso só é possível porque uma pessoa pode ser um estúpido decidido, assim como não sê-lo por inteiro.

Quanto à terceira lei, ao incluir a estupidez como uma das quatro categorias fundamentais a que os seres humanos pertencem, o autor nos adverte para a estupidez como categoria capaz de definir o ser humano como um ser estúpido.

A quarta lei introduz a possibilidade de o estúpido não ser reconhecido como tal e, assim, promover associações que podem resultar em erro gravíssimo. O que vai interessar aqui é interrogar sobre o que leva ao não reconhecimento da estupidez no próximo semelhante.

Em relação à quinta lei, com a qual irei iniciar um comentário, ela coloca de saída a necessidade de esclarecer por que a pessoa estúpida é o tipo de pessoa mais perigosa que existe.

Considero que a forma mais acessível de responder ao porquê de a pessoa estúpida ser a mais perigosa é a condição de ela ser suscetível às paixões cegas. Nesse caso, a paixão cega não é sinônima de viver uma paixão com um outro, acessível como experiência a qualquer ser humano. A paixão cega do estúpido é a paixão pelo discurso de um Outro, e não pelos seus encantos pessoais. Quanto mais o Outro do estúpido se permite expor seu jeito de ser, por meio de hábitos e gostos banais, representando a vida comum, mais e mais o estúpido patrocinador patrocinado se sente próximo como um igual. Isso não significa que sejam todos pobres ou burgueses. A paixão, nesse caso, está desinvestida de erotismo. Para ser conforme à vida comum e cotidiana, destituída de sonhos, o Outro do estúpido se faz ver e ouvir a partir de uma moral regulada pelo supereu, fazendo o que é supostamente certo, sacrificando qualquer tipo de gozo que possa parecer excessivo, no sentido de particular, ou seja, separado.

Ainda quanto à quarta lei, aquela que introduz a possibilidade de uma aliança desastrosa entre o estúpido e o não estúpido, uma vez que este último não reconhece o primeiro a tempo de evitá-lo, vale perguntar: "Por que essa identificação é difícil, ou mesmo impossível?" Não somente porque a estupidez não se mostra visível, tampouco porque os estúpidos são dissimulados, mas sim porque na maior parte das vezes acredita-se que, desde as primeiras manifestações da estupidez, elas só estariam acontecendo devido a algum tipo de burrice ou limitação transitória.

Bastaria um pouco mais de conhecimento ou sensatez para que a pessoa pudesse abdicar dessa posição. Ledo engano. Quando a estupidez se dá a ver, tal como os rinocerontes na peça de Ionesco, a transformação em fera já iniciou seu devir, havendo pouquíssima chance de ser interrompida. Isso introduz uma problemática nova em relação tanto ao tratamento possível, quanto sobre a concepção que se tem deste último.

Lembremos: Pasolini nos falou de poder sem rosto, Lacan, de discurso sem palavras e Carlo Cipolla da mão invisível que guia para a estupidez. Ligando esses três, o que vamos encontrar? Um Outro tipo de fascismo, que não é semelhante ao nacional-socialismo de Hitler, tampouco ao de Mussolini. É o fascismo da estupidez. Aquele que é agenciado por um discurso sem palavras, comandando os sujeitos num determinado tipo de funcionamento — que é sem rosto, porque a identificação é feita por um símbolo que os liga, na referência a uma suposta unidade da nação que precisaria ser refeita.

A estupidez é, ao mesmo tempo, local e internacional. Ela não acontece de forma isolada, é um vírus que dissemina a destruição. Já destruiu antes, daí a importância de reconhecer que, em 1937, na deflagração do nazismo, Robert Musil deu uma conferência sobre a estupidez, lembrando suas próprias palavras anos antes: "Se a estupidez não fosse tão parecida, a ponto de confundir-se com o progresso, o talento, a esperança ou a melhora, ninguém desejaria ser estúpido."

Uma vez que a estupidez esteve em ação tanto no nazismo como no fascismo italiano, ela assim compareceu, e se mantém presente, porque é a própria paixão pela destruição. Visa acabar com tudo que não estiver de acordo com ela, ou seja, com o que não pensa para agir, tampouco com as consequências de seus atos.

Lembrando Carlo Cipolla, os estúpidos são "os mais perigosos". Consideremos que a estupidez precisa de aliados para manter a rudeza, a impulsividade, o ódio e a zombaria. É aqui que entram em cena as vociferações. Vem dos sujeitos que zurram. Eles zurram com força, pela força e para a força triunfar como política. Tal tipo de fascismo é movido pelo ódio. Por isso mesmo, desde seus primórdios, pelo nazismo, não levou em conta o Outro, no sentido da diferença que constitui nossa humanidade A prova estendida disso é o fato de que o estúpido não tem sentimento de culpa. Isso porque, para existir culpa, é preciso vigorar a possibilidade de ação do desejo humano. Daí a importância ética do trabalho de Karl Jaspers[37] *A questão da culpa*, de 1945, onde a reintroduziu como questão decisiva para a reconstrução do povo alemão. Jaspers isolou quatro conceitos de culpa: 1o. culpa criminal; 2o. culpa política; 3o. culpa moral e 4o. culpa metafísica. Ele articula cada uma delas para mostrar a indissociabilidade entre a Alemanha se reerguer como nação e o reconhecimento delas. E em nenhum momento se trata de autoexpiação, ou mesmo de fazer espetáculo dos arrependimentos. Ao contrário, trata-se, neste caso, de uma proposta inédita de fazer da culpa uma condição política, no sentido da constituição de novos laços entre os sujeitos.

Por que retomar a questão da culpa agora? Porque o estúpido, no caso da política da estupidez nazista, não somente não incluiu a culpa e a vergonha no cálculo de suas ações. Seus patrocinados patrocinadores são aquelas tantas pessoas que não querem pensar realmente. Elas buscam apenas palavras de ordem e obediência. Elas não perguntam e elas não respondem, a não ser pela repetição de fórmulas batidas. Elas só sabem afirmar e obedecer, e não examinar e reconhecer, e por isso também não podem ser convencidas.

O fascismo da estupidez não reconhece as formas instituídas da República democrática, tampouco suas leis, fazendo escárnio delas. Não confere legitimidade a seus representantes políticos

[37] Jaspers, K. *A questão da culpa: a Alemanha e o nazismo*. (C. Dornbusch, Trad.). São Paulo: Editora Todavia, 2018.

degradando-os moralmente, e não reconhece ser necessário escutar os cidadãos para tomar decisões políticas que os afetam diretamente, uma vez que supõe que eles não sabem pensar. Tal como os rinocerontes, têm suas leis e realidade próprias. Nesse sentido, o fascismo da estupidez se avizinha do fanatismo. "A essência do fanatismo, reside no desejo de forçar as outras pessoas a mudarem". Ou ainda segundo Amós Oz, "(...) descobre-se que, com muita frequência, os fanáticos são irremediavelmente sentimentais. Frequentemente preferem sentir a pensar e têm uma fascinação particular por sua própria morte."[38].

Em se tratando do estúpido, ele se impõe pela força. Na peça de Ionesco os rinocerontes invadem a cena, não tentam convencer ninguém quanto a sua existência, tampouco estão interessados em doutrinar. A doutrinação, bastante presente nos templos que os acolhem, visa sempre à repetição cega e surda. Estes são um dos espaços que servem para que a estupidez encontre o solo adubado para se proliferar.

A estupidez não é de direita e nem de esquerda; ela é essa condição humana que pode habitar cada um dos espectros políticos e dos cidadãos. A estupidez como laço social soube cativar o que de rinoceronte existe no humano. Soube despertar o gosto pelo zurro das vociferações. Tal tipo de fascismo não tem sequer viés político, uma vez que aquilo a que ele visa é a realização das próprias vontades, de preferência à força. Sua necessidade de se instalar no poder através do voto é tão somente para se valer dos critérios legais, de forma a melhor dilapidá-los e destruí-los.

Afirmei antes que a vigência da estupidez não se sustenta sozinha em sociedades democráticas. Devido à possibilidade

[38] Oz, A. *Contra o fanatismo*. (D. Cabral, Trad.) São Paulo: Ediouro, 2004, p.29.

de ação da justiça que se mantém atuante nelas, mesmo que parcial e partidariamente, o estúpido se deparará com limites que dificultam suas ações. Por isso mesmo a estupidez conta com o submundo do crime, das milícias, da corrupção e do tráfico. Cada uma dessas organizações controla um contingente expressivo da população que, em boa parte, já vive submetida à violência, acostumando-se a ela à base do fuzil.

A estupidez como politica sancionou legalidade às ações da darkweb, conferindo feições humanas às ilegalidades e monstruosidades. Ocorre que o que é monstruoso nunca obtém condições de se dissimular por inteiro. Por isso mesmo Pasolini identificou a ascensão do novo fascismo, em sua época, como sem rosto, ou seja, sem rosto humano que pudesse ser distinguido.

No universo discursivo da estupidez, como lembra Simone Weill, "a operação de tomar partido, de se posicionar a favor ou contra, substituiu a obrigação de pensar."[39]. Ou ainda, como nos adverte Antonio Risério "projetos revolucionários totalizantes ficaram para trás — restou apenas a vocação para o totalitarismo."[40]

OS RINOCERONTES E A ELEIÇÃO DA BARATA

Sabe-se há muito tempo que, se houvesse uma explosão nuclear na Terra, apenas as baratas sobreviveriam. Seres que despertam repulsa e nojo se fazem presentes em nossos espaços públicos e privados. Na peça de Ionesco, os rinocerontes invadem

[39] Weill, S. *Pela supressão dos partidos políticos.* (L. Neves, Trad.). *Veneza/Belo Horizonte:* Editora Âyiné, 2016.

[40] Risério, A. *Sobre o relativismo pós-moderno e a fantasia fascista da esquerda identitária.* Rio de Janeiro: Ed Topbooks. 2020, p.90.

o espaço público, ao mesmo tempo em que fascinam e cativam as vidas privadas para a transformação neles. Se o teatro nos revela essa cativação é mesmo porque basta que se instale no laço social um discurso, tal como o da estupidez, suscitando o ódio e a destruição, para que reencontremos os rinocerontes nas ruas realizando sua reivindicação. Amos Oz nos lembra: "Se eu acho que algo é ruim, eu o mato junto com seus vizinhos"[41].

As razões que levaram muitas famílias e amigos a romperem relações no período pré- e pós-eleições de líderes estúpidos não se justificam, segundo penso, apenas pela aceitação ou rejeição dos valores propagados nas campanhas. Mais do que isso, tais valores permitem que o ódio, até então mantido contido pelos mais diferentes recursos, pudesse enfim respirar e vociferar, dando vida outra vez à besta. Mas não somente: ainda que tal tipo de ódio não necessite de maiores justificativas para se impor, é verdade também que esses sujeitos encontraram um terreno repleto de personagens e acusações que lhes abreviaram o caminho. Uma coisa é certa: nunca se tratou de apoiar as expressões de ódio a partir de julgamentos justificados, mas sim por conclusões precipitadas de forma a agilizar ainda mais a combatividade e a insensatez. Isso não significa que não houvesse referência de realidade às acusações, mas que o que importava nestas últimas era de criar o clima propício para que a barata chegasse ao poder. Assim, o esgoto por onde se proliferavam encontrou razão de ser pela boca da estupidez.

Não existe autoengendramento no nascimento da estupidez. Como disse antes, ela se fertiliza pela desfaçatez das alianças políticas vergonhosas que as precederam, em nome de

[41] Oz, Amos. *Como curar um fanático. Israel e Palestina: Entre o certo e o certo.* (P. Geiger, Trad.). São Paulo: Companhia das Letras, 2004, p.62.

combatê-las. É fecundada pela covardia reinante nas sociedades democráticas, sempre apoiada no imperativo de não poder dizer não, tampouco de colocar limitações. É lastimável constatar que são os homens e mulheres capazes ainda de raciocinar os primeiros a acreditar numa transformação que evite o confronto e a indignação. Como se o que importasse fosse a conquista de lugares de fala e construção de coletivos, onde liberdade é sinônima tanto de escrever todxs quanto de escolher a roupa para levar identidade sexual do dia às festas embaladas pela anestesia das músicas com palavrões.

Não é por acaso que as comemorações são cada vez mais marcadas pela presença de danças que codificam o movimento dos corpos, instalando a surdez como condição da música, nos novos templos ao ar livre. Como assinalou Ian McEwam:

> Não foi o ódio que matou os inocentes, mas a fé, esse fantasma faminto ainda reverenciado mesmo por gente de bem. Muito tempo atrás, alguém declarou que a certeza infundada era uma virtude. Agora até as pessoas mais cultas dizem isso.[42]

Enquanto escrevo estas palavras aguardo a contestação baseada na importância de reconhecer a passagem do tempo, tanto quanto das mudanças que a acompanham. Como se a cada manifestação do que se intitula atualidade pudéssemos desfrutar de avanços e aprimoramentos.

Para um psicanalista, o atual como sinônimo do presente é o tempo em que retornam as questões e os impasses do passado. Com a diferença, não menos importante, de que os impasses e

[42] McEwan, I. *Enclausurado*. (J. Dauster, Trad.). São Paulo: Companhia das Letras, 2017, p.164.

conflitos retornam revestidos com o selo de novidade. Assim, não é preciso se dedicar ao tratamento e à busca de sua solução. Mais do que isso, trata-se sempre de revestir como novo o que é banal. Que não se engane aquele que acredita na leveza de tal tipo de posição. É exatamente porque não consegue se firmar devido à ausência de fundamentos e tradição que, em grande parte dos circuitos de pseudocontestação, "a reserva de mercado é garantida com a vociferação identitária intimidando autores."[43]

Quando Franz Kafka escreveu o clássico da literatura universal A metamorfose, deixou evidente, logo no início do livro, a condição de o homem comum, representado pelo personagem Gregor Samsa, poder ser transformado em inseto, besouro ou barata, como se preferir. Devido à dificuldade que seu novo corpo impunha, ele precisou se atrasar para o trabalho e, mais do que isso, não conseguiu sair de seu quarto. Uma das pessoas que veio bater à sua porta, além dos membros da sua família, foi o patrão da firma em que trabalhava. Fica evidenciado que, é no espaço em que o enredo se monta, no círculo da família e do trabalho, que se encontram as condições à altura para a metamorfose do humano em barata, ser vivo produtor de nojo e abjeção. O que não se contava é com o retorno da barata no tempo da estupidez, que a ressuscita e a conduz ao poder com os votos dos rinocerontes.

Em 2019, Ian McEwan escreveu seu livro, segundo o autor, "de ficção", intitulado *A barata*. Nele, "Jim Sams, inteligente mas de forma alguma profundo, acordou de um sonho inquieto e se viu transformado numa criatura gigantesca"[44]. Com a seguinte diferença em relação ao clássico de Kafka: não somente a barata

[43] Risério, A. op. cit., p.90

[44] McEwan, I. *A barata*. (J. Dauster, Trad.) São Paulo: Companhia das Letras. 2019, p.11.

ocupava o cargo de primeiro ministro, mas, além disso, não havia mais limitação para ser reconhecido e admirado. O fato de um homem transformado em barata chefiar o cargo mais alto da nação já não era causa de estranhamento ou contestação. "Apesar de tudo, em essência ele continuava a ser o que era antes.[45]"

Como se tornou possível a eleição da barata, assessorada por gurus, familiares estúpidos e eleitores transformados em rinocerontes? O próprio autor nos responde e adverte: "No melhor estilo do pó mágico populista (…). O truque funcionou, e agora essa elite de antielitistas tomou nosso governo. (...). Em todas as versões, o espírito da barata irá prosperar. Precisamos conhecer essa criatura para ter melhor chances de derrotá-la"[46].

Tendo chegado ao ponto de reconhecer o tecido humano em que a estupidez se constitui, guiado pela metamorfose e pela aliança com os rinocerontes, prosseguiremos na direção de indicar, não sua derrota, mas sim, seus tratamentos possíveis.

[45] Ibid., p.17.
[46] Ibid., p.102.

CAPÍTULO DOIS

... E SEUS **TRATAMENTOS POSSÍVEIS**

"O rosto humano do agressor atrai
porque é como nossa imagem no espelho,
um cão raivoso latindo para nós."[1]

Gregory Motton

[1] Motton, B. A terrível voz de Satã. (R. Alvim, Trad.). Edição Alternativa.

EM DIREÇÃO AO DISCURSO DA ESTUPIDEZ

Deixo evidenciado, desde o título deste capítulo, que só é possível falar de tratamentos possíveis, e não de tratamento possível, no singular, após ter situado as problemáticas no capítulo precedente, quais sejam, o discurso da estupidez como solo que fomenta as vociferações com a consequente eleição das baratas pelo mundo afora. Ressalto, ainda, que a estupidez, à luz da importância das obras de Carlo Cipolla e Robert Musil, não é um discurso que se instala somente devido ao fato de que subestimamos "o número de indivíduos estúpidos que existem em circulação".

Procurei mostrar que a instalação da estupidez se realiza, em primeiro lugar, devido às condições humanas que consentem a ela. A estupidez não cai do céu, tampouco é obra de um gênio maligno. Seu parentesco com o diabo evoca as palavras de Norman Mailer, em seu livro, *O Castelo na Floresta*, onde identifica, na genealogia de Hitler, as condições para o renascimento do demônio. "Jamais sabemos quão sério ele pode ser quando fala ao ouvido de nossas mentes (sua voz é uma abundância e fertilidade de humores)".[2]

[2] Mailer, N. *O castelo na floresta*. (P.M. Soares, Trad.). São Paulo: Companhia das Letras. 2007, p.77.

Uma vez que a estupidez se instala como um discurso sem palavras, tal como formulado por Jacques Lacan em seu Seminário *O avesso da psicanálise*, isso significa que sua efetividade opera através do que se recolhe, no outro, como vociferação. Entende-se que esta última é a posta em ato da recusa da particularidade, como recusa da voz, ou seja, recusa de assumir posições e lugares diferenciados na fala, tanto quanto nas ações que visam à sustentação do desejo.

Ao indicar a expressão de Lacan, "discurso sem palavras", não significa que não haja palavras que vão compor o texto do discurso concreto da estupidez. Elas vão comparecer no outro, como vociferações.

Deve-se notar que tanto o 'discurso sem palavras', como o 'poder sem rosto', nomeado por Pasolini, se referem, em primeiro lugar, a estruturas de funcionamento. Seus efeitos serão apreensíveis na disseminação das vociferações, como expressões da fera humana, no sentido daqueles que não dialogam mais, tampouco permitem que a realidade dos fatos os contradiga.

A PAIXÃO DA ESTUPIDEZ PELA IGNORÂNCIA

Como afirmado no início desse capítulo, a estupidez não cai do céu sobre nossas cabeças. Ela renasce cada vez que os seres humanos consentem em fazer uma crítica da realidade e propor mudanças, a partir do ódio como política de destruição do instituído.

Mas não somente. Tais críticas e proposições são baseadas na difusão de ideias de que a realidade poderia ter sido diferente, caso tivesse existido um empenho nobre e autêntico de agir na direção de recuperar realizações perdidas — deixando-se sempre de mostrar que tais realizações e conquistas nunca existiram da forma em que são exaltadas.

A repetição dessa insistência é sustentada pelo ódio aos acusados como responsáveis pela privação de supostos benefícios, dos quais se poderia estar obtendo satisfação. Trata-se de uma forma de fazer política, ou seja, de construir laços na sociedade. A instauração de tal política não é feita da noite para o dia. Ela se faz escutar, ora de forma lenta, ora de forma galopante. Se ela mobiliza e cativa os seres humanos pelos ódios, é porque a ignorância é sua eterna companheira. Não mais a ignorância como sinônima de falta de conhecimento, escolaridade ou posição social, mas sim como aquela do "pior cego", enquanto aquele que "não quer escutar".

Sigmund Freud já havia advertido que não existe qualquer tipo de vestígio de interesse, ou amor, nos humanos, pela verdade. Por isso mesmo que, a partir dele, se pode acompanhar o que vem sendo apresentado, ressaltado pelas palavras de Victor Klemperer:

> A língua conduz o meu sentimento, dirige a minha mente de forma tão mais natural, quanto mais inconscientemente eu me entregar a ela. O que acontece se a língua culta tiver sido constituída ou for portadora de elementos venenosos? Palavras podem ser como minúsculas doses de arsênico: são engolidas de maneira despercebida e aparentam ser inofensivas; passado um tempo, o efeito se faz notar.[3]

A estupidez como modalidade de discurso não é novidade na história da humanidade. Antes, agia em alguns países onde

[3] Klemperer, V. A *linguagem do terceiro Reich*. Rio de Janeiro: Editora Contraponto, 2009, p.11.

se instalara sob a forma de regime de exceção. Hoje a estupidez se expande como política, enquanto modalidade oficial, legítima e votada para disseminar suas ambições de metamorfosear as palavras em zurros, os humanos em rinocerontes, e o sorriso em zombaria.

O BARCO DA CRENÇA PARA A ESTUPIDEZ

Ao sustentar que a estupidez não é autoengendrada procuro salientar que, por um lado, ela não é sem causa, e, por outro, que mantém relação com um tipo de ação da verdade que emerge parcialmente nela. Qual verdade? Aquela que se metamorfoseia em certeza. Como uma aparição do além-túmulo, ela nos faz lembrar a função que cumpre o fantasma do pai morto para Hamlet, no início da peça de Shakespeare.

Tendo o sujeito se ensurdecido para qualquer tipo de dúvida ou objeção, deixa-se conduzir por uma missão que clama por vingança. Diferentemente do gesto de Ulisses na Odisseia de Homero, o tapar de ouvidos aqui é condição para o sucesso de viagem em direção às rochas da estupidez, as quais não provocam a morte dos passageiros, mas sim a sua proliferação.

Isso se dá porque a crença, como nome do barco que conduz na direção da estupidez, é estruturada não somente como sinônima de fé cega numa entidade transcendente, mas também como posta em ato de uma paixão que incendeia qualquer impedimento de sustentar uma ilusão. A crença, tal como a estupidez, prescinde das condições de teste, verificação e fundamento de suas afirmações.

Disso se deduz o ódio e o desprezo que devotam à ciência, tanto quanto à cultura, estando cada uma delas assentadas no longo trabalho cobrado pelo tempo para que possam se manter, desgastar, perder e renovar.

Ao viajar pela embarcação da crença, a estupidez se desloca tão mais rapidamente, quanto mais destrói intencionalmente tudo aquilo que possa promover uma Outra direção. Como adverte George Steiner: "Aqueles que queimam livros que banem e matam poetas, sabem exatamente o que fazem".[4]

Tendo a relação entre crença, estupidez e vociferações sido estabelecida, fica evidente que a liderança a ser assumida pela barata é o que comparece como produção esperada de um funcionamento que se renova. Tal inovação não é automática, tampouco universal, já que, devido às diferentes destruições que promove, gera indignação, contestação e, a depender do ambiente, revolta decidida para o término de seu ciclo.

Lembremos novamente a segunda lei fundamental da estupidez humana: "A probabilidade de que uma pessoa seja estúpida é independente de qualquer outra característica dessa mesma pessoa". Dela se deduz que essas outras características da pessoa que se torna estúpida poderão ser mobilizadas de maneira a participar de um esvaziamento de sua consistência.

OS DISCURSOS E A ARTICULAÇÃO DA ESTUPIDEZ

Desde quando Jacques Lacan apresentou sua formulação, em 1938, sobre o "declínio social da imago paterna", diferentes

[4] Steiner, B. *Aqueles que queimam livros*. (P. Fonseca, Trad.). Veneza/Belo Horizonte: Editora Âyiné. 2017, p15.

diagnósticos sobre as mudanças da subjetividade, segundo as épocas, dentro e fora da Psicanálise, foram estabelecidas. Sob a expressão "diagnóstico de época", as diferentes transformações da subjetividade, individual e coletiva, puderam ser elaboradas e formalizadas.

Contudo, a escrita dos quatro discursos realizada por Lacan em 1969/1970 — do mestre, da histérica, do analista e do universitário — não se enquadra na condição de diagnóstico de época. Mais do que isso, segundo ele, pelos discursos, "instaura-se um certo número de relações estáveis, no interior das quais certamente pode inscrever-se algo bem mais amplo, que vai bem mais longe do que as enunciações efetivas".[5]

A referência aos discursos, em Lacan, permite apreender o que tenho insistido em mostrar sob o título de discurso da estupidez, em sua relação com as vociferações, desde o início, fazendo parte da nossa realidade. Diz ele, sobre o sentido de discurso a ser considerado:

> (...) está desde já inscrito naquilo que funciona como essa realidade de que eu falava agora mesmo, a do discurso que já está no mundo e que o sustenta, pelo menos aquele que conhecemos. Não apenas já está inscrito, como faz parte de seus pilares.[6]

[5] Lacan, J. [1969/70] *O Seminário. Livro 17. O avesso da psicanálise*. (A. Roitman, Trad.). Rio de Janeiro: Jorge Zahar, 1992, p.11.

[6] Ibid., p.13.

OS QUATRO DISCURSOS

Para o funcionamento de cada um dos quatro discursos, é preciso seguir uma lógica que mantém sempre os mesmos lugares,

Lugares

$$\frac{\text{agente}}{\text{verdade}} \qquad \frac{\text{outro}}{\text{produção}}$$

mudando somente os termos que nomeiam cada um deles.

Os quatro discursos são:

Discurso do Mestre

$$\frac{S1}{\$} \rightarrow \frac{S2}{a} \qquad (\$ \;//\; a)$$

Discurso Universitário

$$\frac{S2}{S1} \rightarrow \frac{a}{\$} \qquad (S1 \;//\; \$)$$

Discurso da Histérica

$$\frac{\$}{a} \rightarrow \frac{S1}{S2} \qquad (a \;//\; S2)$$

Discurso do Analista

$$\frac{a}{S2} \rightarrow \frac{\$}{S1} \qquad (S2 \;//\; S1)$$

Legendas

S1 = Significante mestre
S2 = Saber
S = Sujeito dividido
a = Objeto a – causa do desejo

No caso do discurso do mestre, ao qual irei retomar, seu funcionamento se estabelece pela dominância entre os significantes, ou seja, trata-se de estabelecer entre o agente e o outro uma relação onde o que importa é que "as coisas andem". A produção, nesse caso, visa o mais-gozar, enquanto semelhante à mais-valia em Marx. Por isso mesmo Lacan vai indicar o gozo no lugar do outro, e a mais-valia no lugar da produção, no seminário *O Saber do Psicanalista*[7].

Qual a importância disso no contexto das elaborações apresentadas? É tão somente a de insistir que na sociedade de produção capitalista em que vivemos a "mais-valia, é a causa do desejo do qual uma economia faz seu princípio: o da produção extensiva, portanto insaciável, da falta de gozar".[8]

Como último termo de composição dos discursos vale a referência ao lugar da verdade que, ao se manter abaixo, recalcada para o agente, comparece participando indiretamente, mas atuante, para a insistência que o agente vai estabelecer na relação com o outro ao qual se dirige.

Assim, em se tratando do discurso do mestre, de sua particularidade, como presença de sujeito desejante, dividido pela linguagem, decorre a barra que se escreve sobre o $ a qual não irá comparecer como condição de seu exercício. Quanto mais o mestre se subtrai do desejo, mais ele se sustenta por princípios que se explicam conforme o que põe em destaque, ou seja, S1 como lei, e S2 como gozo sinônimo da satisfação que se obtém a partir desse agenciamento.

Pode-se ler desde aí o funcionamento do mestre capitalista, o qual agencia as leis do mercado em seu sistema de produção para se apropriar do saber do proletário no lugar do outro trabalhando para ele, de forma a produzir mais-valia como condição do lucro e consumo incessantes. Para tanto, não é necessário

[7] Lacan, J. *O saber do psicanalista*. Edição interna Centro de Estudos Freudianos de Recife, 1997, p.60.

[8] Lacan, J. Radiofonia. In *Outros Escritos*. Rio de Janeiro: Jorge Zahar, 2003, p.454.

qualquer tipo de presença de verdade particular que não seja sob a forma de comparecer recalcada.

Daí que a verdade, desde a Psicanálise, como verdade que fala pelo meio dizer e não por inteiro, não tem como encontrar seu sentido numa sobreposição com o mais gozar, enquanto mais-valia.

Por isso mesmo, entre a verdade e a produção existe uma disjunção notada pela escrita //. Não é a verdade que conta para a produção do sujeito nesse discurso. Ela comparece recalcada no agente, tanto quanto agindo sobre o Outro, já que é preciso um ato de consentimento dele para participar desse discurso — ao mesmo tempo em que, quanto mais o agente recalca a verdade, mais suas palavras constam como lei, ou seja, como um imperativo que faz o outro gozar segundo suas determinações.

DO MESTRE AO CAPITALISTA

Quando isolo o discurso do mestre como decisivo para as elaborações em curso, não deixo de estar advertido de que os discursos não funcionam isoladamente, havendo passagem de um para o outro. Por exemplo: considerando o discurso do analista, ele não se encontra restrito à experiência de uma análise. Até porque sendo os discursos estruturas de funcionamento, cada um deles irá se tornar presente segundo a posição que cada sujeito ocupa neles. Por isso mesmo, pode-se participar formalmente do discurso do analista, mas o que efetivamente acontece é que o agente, ocupando o lugar da histérica, sem que ele mesmo saiba, fale mais do que seu analisante. E isso acontece assim porque os discursos agem de forma inconsciente.

Se me detenho no discurso do mestre é porque foi a partir dele que Lacan estabeleceu duas preciosas indicações. A primeira foi mostrar a presença dele no inconsciente estruturado como uma linguagem, ou seja, comandando a relação entre os significantes que estruturam nossa história particular. A segunda indicação se refere à mutação do discurso do mestre no discurso do capitalista, considerado por diferentes psicanalistas como um quinto discurso, ainda que sua atipicidade em termos de funcionamento coloque dúvidas sobre a possibilidade de associá-lo aos outros quatro.

A diferença que o caracteriza tem a ver com ao menos três indicações. A primeira se refere ao sentido da barra existente entre o agente e a verdade, tanto quanto entre o outro e a produção. Em seu caso, ela não escreve mais a vigência do recalque, enquanto mecanismo que franqueia e interdita parcialmente a passagem de um termo ao outro. Por isso mesmo, como segunda indicação, não encontraremos nesse discurso a barra de separação.

No lugar do recalque recolhemos, no discurso do capitalista, a presença da rejeição, ou foraclusão, como traduções possíveis do termo *Verwerfung*.

Na lição do dia 06 de janeiro de 1972, no seminário *O Saber do Psicanalista*, Lacan nos esclarece que:

> O que distingue o discurso do capitalista é a *Verwerfung*, a rejeição; a rejeição fora de todos os campos do simbólico com aquilo que eu já disse que tem como consequência a rejeição de quê? Da castração. Toda ordem, todo discurso aparentado ao capitalismo deixa de lado o que chamaremos, simplesmente, as coisas do amor, meus bons amigos. Vocês veem isso, hein, não é pouca coisa.[9]

[9] Lacan, J. *O saber do psicanalista*. Edição interna Centro de estudos Freudianos de Recife, 1997, p.49.

A terceira indicação que diferencia o discurso do capitalista dos outros quatro é que, além de nele não constar a barra do recalque, ele introduz também um tipo de funcionamento que não promove mais a passagem para outro discurso, impedindo mudanças de posição subjetiva. Ele se retroalimenta de seu próprio funcionamento; portanto, por um lado, promove não somente consumidores, mas como bem nomeou o psicanalista Ricardo Goldenberg, "consumidores consumidos"[10]. Por outro lado, essa retroalimentação, responsável por consumir o consumidor num ritmo incessante de renovação de mercadorias, não possui ponto de basta. Por isso mesmo o psicanalista Charles Melmann pôde afirmar que: "Não há capitalista que possa dizer que determinado numero basta, que ele está tranquilo e satisfeito, isso seria fazer uma injuria ao jogo capitalista."[11]

O DISCURSO DO CAPITALISTA

Tendo isolado essas três características do discurso do capitalista, podemos então reproduzi-lo abaixo:

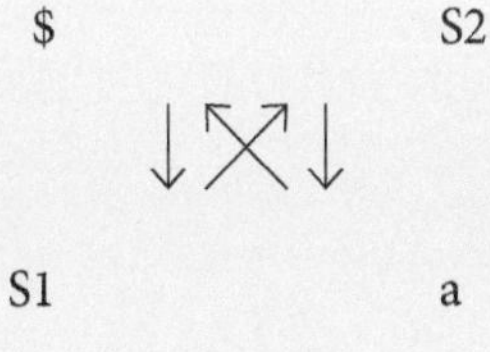

$$
\begin{array}{ccc}
\$ & & S2 \\
\downarrow & \nwarrow\!\!\!\nearrow\!\!\!\swarrow\!\!\!\searrow & \downarrow \\
S1 & & a
\end{array}
$$

[10] Goldenberg, R. (Org.). *Goza!: Capitalismo, globalização e psicanálise.* Salvador, BA: Editora Ágalma, 1997, pp.9-19

[11] Melmann, C. *Por que o ICMS não é aplicável à sessão de psicanálise.* In R. Goldenberg (Org.) Goza! Salvador, BA: Editora Ágalma, 1997, p.113.

Note-se que, através do que foi aqui indicado anteriormente, o que vemos comparecer no discurso do capitalista é:

1º. O sujeito não é mais efeito da linguagem, mas é ele quem comanda os significantes que a compõem, daí o sentido da seta de cima para baixo no lado da esquerda.

2º. A relação entre os significantes se estabelece a partir do comando do sujeito no lugar de agente, decidindo o sentido do que os mantém ligados.

3º. O objetivo, da produção, é decidido pelo que a determina, mantendo-se fiel ao sentido que a precedeu sob a forma da produção de objetos que irão retroalimentar o sujeito.

4º. Não existindo mais presença de disjunção, não existe mais referência à impossibilidade, tampouco à impotência. Implica-se, a partir daí, o surgimento de "um sujeito para o objeto"[12], ou seja, um sujeito que não se distingue mais pela particularidade de sua história e posição subjetiva, mas sim como aquele que devota sua existência ao consumo, tanto quanto seu assujeitamento à condição de proletário.

A ESCRITA DO DISCURSO DA ESTUPIDEZ

Ao me valer da escrita e dos modos de funcionamento do discurso do mestre, tanto quanto do capitalista, tive como objetivo mostrar de que maneira, considerando o discurso do mestre, cada um de nós é conduzido inconscientemente por

[12] Chemama, R. *Um sujeito para o objeto.* In R. Goldenberg (Org.) Goza! Salvador, BA: Editora Ágalma, 1997, pp.23-39..

aqueles significantes que são dominantes num determinado momento histórico.

Retomando o discurso do capitalista, meu objetivo foi o de indicar de que modo, devido à mutação do discurso do mestre, os sujeitos se tornam cativos de um tipo de satisfação. Satisfação essa que, a um só tempo, retira de cena a particularidade pelo desejo, determina o sentido a ser estabelecido na linguagem, aglutina seu lugar de forma estática na existência com o consumidor e, por fim, o assujeita de forma a comparecer num lugar em que aquilo que lhe resta é alimentar o ciclo de sua própria servidão. Espaço fechado que não depende mais de escolhas e decisões para seu êxito.

Não foi por acaso, portanto, que nesse cenário o psicanalista Christian Dunker tenha indicado a necessidade de uma "reinvenção da intimidade", uma vez que, devido a sua degradação, tenhamos de considerar "políticas do sofrimento cotidiano", ou seja, políticas que possam integrar, reconhecendo, "a experiência do sofrimento".[13]

Considero que, à luz dos discursos do mestre e do capitalista, uma escrita possível do discurso da estupidez promoverá consequências para o que segue nomeado como tratamentos possíveis dele e das vociferações, de forma a fazer barreira à eleição das baratas pelo mundo afora. Portanto, tal escrita é um recurso que permite situar o problema, e não sua solução, no sentido de solução final e definitiva.

A escrita do discurso da estupidez se mantém da seguinte maneira, reunindo o que foi apresentado até agora, na referência do discurso do mestre.

[13] Dunker, C. *Reinvenção da intimidade*. São Paulo: Ubu Editora, 2017, p.11;128.

estupidez	→	vociferação
crença	//	barata

Como primeira leitura possível indico que o estúpido, ou seja, aquele que tem no lugar da verdade uma crença que vela a realidade — como, por exemplo, a crença na terra plana — acessa o outro de forma a abordá-lo numa condição onde ele, outro, vocifera, porque é esse o sentido a ser cumprido pelos significantes que movimentam o estúpido.

Tal como mostrei antes, tanto o discurso da estupidez não acessa pelo diálogo e reconhecimento de particularidade, que aquilo que ele decide sobre o outro é a recusa da voz, substituindo-a pela vociferação, ou seja, pela transformação dele em fera humana, a qual conserva na fala somente palavras de ordem, clichês e apagamento da função do julgamento.

Enquanto rinocerontes que vociferam, os sujeitos se manterão empenhados na produção de baratas, que não terão como estabelecer uma relação de representação integral das crenças que animam o estúpido. Isso porque se trata, em primeiro lugar, de ser conforme à produção agilizada pelos rinocerontes, mantendo como objetivo reencontrar nas baratas a conclusão do sentido estabelecido pela estupidez. Entendendo que a consagração do sentido do discurso da estupidez é a possibilidade de, enfim, reduzir o tamanho dos seres e dos cérebros.

A ESTUPIDEZ NO DISCURSO DO CAPITALISTA

Quando me referi ao discurso do capitalista no interior das elaborações sobre o discurso da estupidez, como atualização do discurso do mestre, meu objetivo foi o de mostrar que qualquer elaboração sobre discursos, hoje, se dá necessariamente no contexto de uma sociedade marcada pela ação do discurso do capitalista. Significa afirmar, pelo que foi apresentado antes neste capítulo, que há uma suscetibilidade conforme à estupidez, uma vez que a identidade do sujeito, tão somente pelo consumo, é uma forma eminente de seu exercício — entendendo que a subtração do sujeito a consumidor é o ápice do que se encontra em jogo no projeto do marketing e da propaganda.

Possa-se considerar que aqui não se trata de fazer campanha contrária à sociedade capitalista de mercado, como se ela fosse sinônimo de maldição e degradação moral, responsável por todos os problemas existentes. Meu objetivo é o de indicar, primeiramente, que os tão propalados benefícios das sociedades democráticas não são somente positivos, mas que é nisso que reside o valor de tais sociedades, ou seja, não impedem as mudanças, mesmo que limitadas, tampouco eliminam o advento da estupidez de dentro de si mesmas. Daí ser necessário ampliar os tratamentos possíveis. Antes de avançar, cabe perguntar: "O que significam tais tratamentos à luz do advento do discurso da estupidez, das vociferações e da ascensão das baratas?"

OS TRATAMENTOS POSSÍVEIS

Orientei-me para o título deste tópico por um texto de Jacques Lacan, *De uma questão preliminar a todo tratamento possível da psicose*, de 1957/1958, no qual ele articula — diferentemente de Freud, que não considerava possível a aplicação da Psicanálise ao sujeito psicótico — "a concepção a ser formada do manejo, nesse tratamento, da transferência".[14]

Não somente ele se detém a articular novas questões — a realidade na psicose, uma releitura de um caso clínico de Freud —, como também postula uma concepção a ser formada, nesse tratamento, da transferência. Parto do princípio, sem me estender em esclarecimentos técnicos, de que a transferência enquanto a ligação necessária entre o psicanalista e o psicanalisante, de forma a que o tratamento aconteça, se coloca, na psicose, com uma complexidade diferente. É necessário contar com uma abertura, da parte do psicanalista, nem sempre possível, seja devido ao limite de sua disponibilidade pessoal, seja pelas limitações que o tempo de sua formação produz.

Incluir o tratamento possível do discurso da estupidez, tanto quanto o das vociferações, na referência das psicoses, não é sinônimo de equivaler a estupidez e as vociferações a elas. Contudo, introduz as limitações e a disponibilidade próprias ao seu tratamento.

Vejamos à que complexidade me refiro ao reescrever o discurso da estupidez no circuito do discurso do capitalista. Por que fazer isso? Porque é uma maneira de mostrar como esse tratamento pode se complexificar, à luz de uma possível mutação do discurso do mestre.

crença		vociferação
↓	⤡⤢	↓
estupidez		barata

[14] Lacan, J. De uma questão preliminar a todo tratamento possível da psicose. In *Escritos*. Rio de Janeiro: Jorge Zahar, 1998, pp. 537-590.

Como uma leitura possível encontramos a crença agindo de forma a que a estupidez se torne condição de verdade, ao mesmo tempo em que determina sobre o outro um efeito de vociferação, o qual é responsável pela produção de baratas, que se ligarão decisivamente com a crença que tem a estupidez como verdade.

Deixo para o leitor estabelecer a prova de realidade dessa escrita possível, praticamente, no meu entender, intratável quando funciona assim. Pode-se perguntar: intratável?

Sim, existe o intratável, tanto quanto o impossível.

A ESTUPIDEZ NOS DISCURSOS

A vigência do discurso da estupidez introduz desafios. Em primeiro lugar, o de reconhecer sua participação na economia psíquica das neuroses. Publicarei proximamente um seminário, a ser realizado nos dias 26 e 27 de junho de 2020, sobre as vociferações na neurose obsessiva, a convite da Seção Belém da Escola do Corpo Freudiano. Tal como em outra ocasião precedente, apresentei nessa mesma instituição, o tema da vociferação na histeria. Isso evidencia a possibilidade de ocupação parcial das neuroses por essa posição, ao mesmo tempo em que indica a necessidade de elaborar seus tratamentos possíveis.

Tais sujeitos vociferantes já se fazem presentes através de algumas demandas de tratamento, os quais mantêm, muitas vezes, uma condição de esvaziamento de si mesmos, e ainda com pouca tolerância ao diálogo, aliada a uma expectativa de melhoras rápidas praticamente milagrosas, em que não precisem falar muito. A depender da habilidade e da disponibilidade do psicanalista, poderão se manter um tempo além do que tinham previsto. Isso porque os sintomas, principalmente os que furam o discurso da estupidez e o gozo das vociferações, não cedem com facilidade. Quando não são sintomas portados pelos próprios sujeitos, nós os encontramos através dos filhos, exercendo um tal tipo de mal-estar familiar que os obriga à procura de um profissional que trata pela palavra. Mesmo que o paciente se apresente medicado, o problema se mantém, causando duplicação do desconforto, já que nem a estupidez, nem as vociferações, como mostrei antes, valoriza a fala, tampouco suas possibilidades terapêuticas.

O TRATAMENTO DA ESTUPIDEZ PELO ESTÚPIDO QUE VOCIFERA

Face às limitações apresentadas em relação ao discurso da estupidez, tanto quanto das vociferações, não é incomum encontrarmos propostas de tratamento, seja pela aposta inocente do diálogo, seja se valendo da mesma posição de estúpido vociferante.

Como lembra Pasolini no texto O verdadeiro fascismo e, portanto, o verdadeiro antifascismo:

> Na realidade nos comportamos com os fascistas (refiro-me sobretudo aos jovens) de maneira racista: quer dizer, quisemos apressada e impiedosamente crer que estavam predestinados por sua raça a serem fascistas, e perante essa decisão do seu destino não havia nada a fazer.(...) Mas nenhum de nós jamais conversou com eles, nem sequer lhes dirigiu a palavra. Aceitamo-los rapidamente como inevitáveis representantes do Mal.[15]

[15] Pasolini, P. P. O verdadeiro fascismo e portanto o verdadeiro antifascismo. In *Escritos Corsários*. São Paulo: Editora 34, 2020, p.82-83.

Vou me valer dessa citação para introduzir dois pontos de interrogação:

1º. O que significa conversar com eles?

2º. Quem são eles?

Parto da segunda interrogação de forma a sustentar que, a cada vez que se identificam os fascistas enquanto aqueles que sustentam o discurso da estupidez, vociferando, como se fossem outros os causadores de todo o Mal, sem se perguntar pelas causas históricas, políticas e subjetivas, há uma grande possibilidade de estarmos diante de um fascista antifascista, de um ser vociferante que zurra contra a estupidez.

Diante da urgência dos tratamentos é preciso contar com a inclusão crítica da história que precedeu a instalação do discurso da estupidez, mesmo quando essa história parecia embalada pelos ventos da esquerda e da oposição.

Deve-se contar, também, com o fracasso da ilusão de que a política é a única referência de tratamento dessas questões, particularmente quando constatamos que, se a estupidez nasce de dentro das democracias, será preciso interrogar os diferentes acordos que acabaram gerando os rinocerontes e as baratas que agora circulam livremente.

Como terceira condição necessária ao tratamento de tais problemas coloca-se a necessidade de admitir que o ódio é uma paixão mais cativante e proliferante do que o amor. Sendo assim, qualquer ação que vise à referência a uma ética das relações precisará incluir as consequências e as diferentes modalizações dessa paixão entre os humanos — desde a prontidão em que participa para a eleição das baratas, tanto quanto para a cativação que o zurro da fera humana promove.

É certo que poderia mencionar a importância das artes, da música, da literatura como antídotos contra a estupidez e as vociferações. Se o discurso da estupidez, os seres vociferantes e as baratas chegaram ao poder, é porque nos mostraram que podem prescindir delas, inclusive como fonte de cativação para o sucesso. Sendo verdade que o contingente populacional dos seres que se metamorfosearam em rinocerontes e baratas não seja a maioria, admitamos, eles sabem passar como se fossem. E ainda, intimidam o restante.

COM O ESTÚPIDO E OS RINOCERONTES

Volto agora à primeira pergunta destacada da citação de Pasolini: "O que significa conversar com o fascismo da estupidez?" Ou ainda, "Como fazer para conversar com quem não está disposto ao diálogo?".

Pode parecer estranho para aqueles que nunca realizaram a experiência de uma análise, mas em diferentes momentos os sujeitos se mostram refratários ao diálogo analítico, e até mesmo à sua continuidade. É evidente que não é a mesma situação que se encontra numa proposta de diálogo com os diferentes sujeitos na estupidez e nas vociferações.

Procurei destacar esse elemento de experiência como um recurso para introduzir três causas de fracasso nesses momentos.

1ª. Quando o convite ao suposto diálogo tem como objetivo não apenas conversar, mas convencer o rinoceronte a não zurrar mais. Essa condição que ilustra a utilização da estupidez como método de combate a ela.

2ª. Quando a abordagem dos vociferantes apresenta explicitamente o objetivo do diálogo, que é o de demover o interlocutor de sua posição, com a diferença de incluir docilidade e atitude de compaixão como se se estivesse diante de um quadro terminal.

3ª. Quando o limite daquele que se dirige aos representantes da estupidez, tanto quanto o dos que vociferam, se apresenta pela falta de condições de produzir surpresa e riso.

Tais condições de fracasso não chegam a constituir uma fórmula de sucesso, mas têm como objetivo mostrar as identificações inconscientes com as diferentes posições a que se visa combater, tanto quanto as limitações a serem consideradas.

Além disso, vale mostrar que, assumir uma Outra posição com o discurso da estupidez e com os seres vociferantes, não é tarefa para um homem isolado que apresentaria as condições ideais, mas sim de uma comunidade de sujeitos que se sustentem pela insistência de avançar sem que isso se constitua na criação de mais um grupo sectário, sedento pela defesa de sua própria identidade — sempre cativa a se comprazer com seus iguais. Mesmo sustentando tal projeto, não encontraremos nele o triunfo das intenções que o geraram. Para um psicanalista, o fracasso é a lei, com a diferença de que a alternativa de conduzi-la com rigor é o que permite transformar o insucesso em causa para reinvenção.

Quando o professor Yascha Mounk publicou o seu clássico *O povo contra a democracia,* título que por si mesmo é uma interpretação do momento em que vivemos, ele escreveu no prefácio à edição brasileira: "Salvar uma democracia de um populista perigoso é como correr uma ultramaratona – e você acaba de transpor o primeiro quilômetro."[16] É um alerta admirável que permite situar o trabalho que existe pela frente, com a seguinte retificação: as baratas, as crenças, os rinocerontes e os estúpidos não irão desaparecer da face da terra.

Por ela ser redonda, e não plana, dispõe de muitos esconderijos e adeptos. Alguns deles à mostra, patrocinadores patrocinados exultantes com a presença da besta em suas vidas. Que possam ser esvaziados, ainda que não por inteiro, dependerá de um trabalho conjunto para reduzir a cativação do ódio como política, condição para o advento de uma reconquista do gosto pelas palavras que encantam corpos suscetíveis de indignação e mudança.

[16] Mounk, Y. *O povo contra a democracia*. São Paulo: Companhia das letras. 2018, p.13..

Este livro foi composto em *Minion* e *Gothan* pela *Iluminuras* e terminou de ser impresso em 2020 nas oficinas da *Meta Brasil Gáfica*, em Cotia, SP, sobre papel off-white 80 gramas.